Stanislav Moc

ÚDOLÍ
NOČNÍCH
PAPOUŠKŮ

Stanislav Moc
ÚDOLÍ NOČNÍCH PAPOUŠKŮ

Vydalo nakladatelství Sixty-Eight Publishers, Corp.
v lednu 1984 jako svou 128. publikaci

Cena $9.75

Obálku s použitím obrazu Jana Šafránka navrhla
Barbora Munzarová
Grafická úprava Věra Držmíšková
Kresba v záhlaví Ivan Steiger

Printed in Canada

Moc, Stanislav, 1945-
  Údolí nočních papoušků
ISBN 0-88781-099-3
I. Title.
PG5039.23.03U36   891.8'63'5   C83-098130-6

ÚDOLÍ NOČNÍCH PAPOUŠKŮ

Kmotrová .

Odpoledne bylo horké. Vzduch se doslova tetelil nad přijíždějícím zdvihákem. Vepředu na vidlici vezl zdvihák snad poslední paletu s mraženým masem. Řidič jel opatrně. Couval a nechtěl na hrbolaté cestě paletu převrhnout. Zmrzlé krabice jsou křehké a snadno se při pádu rozbijí. Posledně nám trvalo necelých deset minut, než jsme zdvihák jakž takž naložili a rychle dovezli do mrazírny. Ale i tak začalo v tom horku maso pouštět krev. Rozbité krabice teď stály uvnitř hned vedle dveří. Jakmile, třeba jen trochu, něco rozmrzlo, muselo se to rychle prodat. Takový byl zákon zásobovacího skladiště. Zásobovali jsme masem a jinými produkty téměř celý Port Douglas, domorodé misie i dobytkářské stanice v celém okolí. Skladiště je rozlehlé a patří Státní správě pro zásobování, která se stará, aby byl všeho dostatek a aby se v tropických podmínkách neprodávalo zboží zkažené. I soukromé společnosti musí zásobovat své obchody přes naše skladiště. S masem je to tak, že dobytek se odtud vozí na jih k porážce a nám ho pak vracejí už rozporcovaný a zmražený ve velkých kartonech převázaných drátem. Taková dělba práce, jako když Austrálie vyveze vlnu, za kterou si v Hong-Kongu koupí svetry, a pletařské závody jsou bez práce.

Dá rozum, že organizovat něco podobného není jednoduché a tak je centrální skladiště plné hygieniků, úředníků i kontrolorů, kteří běhají sem a tam, razítkují zboží a nařizují jeho přemístění ze skladu do skladu. Já tomu říkám "systém hejbejte se škatule", ale nejvíce se hejbeme my, skladníci. I s mistrem a řidičem zdviháku je nás na to hejbání osm, ale nestěžujeme si. Aspoň ne na práci, více nám vadí neustálé přebíhání z mrazu do tepla. Bráníme se tomu všelijak. Já jsem oblečen na léto - ve slamáku a v kraťasech, a proto se zdržuji v zimě co nejméně, ale někteří skladníci to dělají právě naopak. Nosí dlouhé kalhoty s těžkou vestou a pokud možno tráví pracovní dobu v chladu.

Řidič opatrně zacouval do veliké haly, elegantně otočil vozík a přišoupl paletu k místnosti s masem. Mistr otevřel dvojité dveře a dali jsme se do práce. Nestačili jsme složit ani polovinu a ozvala se siréna. Konec pracovní doby.

Mohli byste dělat přes čas? zeptal se mistr rychle.

S tímhle vám ještě pomůžu, ale pak musím jít, řekl Joe.

Já taky, oznámil jsem.

Tak kdo zůstane?

Jako vždycky jsme se rozdělili na dva tábory. Svobodní chtěli domů a ženatí peníze. Mistr se zachmuřil a vztekle si odplivl.

Dodělejte tu paletu, nařídil, a pak přijďte ke mně do kanceláře!

Obrátil se a odešel. Byli jsme sehraná parta a rychle paletu složili. Joe, nejmohutnější z nás, pak přivřel dveře a mrkl.

Rychle, zašeptal a nahlas dodal, tak ven, kluci!

Vrhli jsme se na rozbité kartóny, každý popadl kus připraveného masa a ukryl jej jak se dalo. Joe si strčil pod každou paži krájené řízky a zapnul vatovanou vestu až přes prsa. Byl rozložitý a celkem se to na něm ztrácelo. Malý Ital Bruno, který byl jen v tričku, bleskurychle zasunul za poklopec vepřové kotlety a obě ruce strčil do kapes. Sundal jsem klobouk a vložil do něj špalky svíčkové. Celá akce proběhla bleskurychle. Za deset vteřin jsme už kráčeli halou k východu. Mistrova kancelář je vedle vrat. Zvenku do ní pěkně praží slunce.

Boha! zaklel Bruno. To to studí, a ponořil ruce ještě hlouběji do kapes. Cítil jsem, jak mi mrzne temeno hlavy a modlil jsem se, aby nás mistr dlouho nezdržoval. Byl nevypočitatelný, nikdy jsem mu nerozuměl. Dokázal odbýt úplnou tragédii mávnutím ruky, ale také dokázal kecat o úplné blbosti celou věčnost.

Tentokrát na nás už čekal. Vypadalo to na věčnost. Seděl za stolem, kouřil a mračil se. Sotva jsme vstoupili, hned se do nás pustil.

Hergot, chlapi, takhle už to dál nejde! Kdykoli potřebuju, abyste udělali přesčas, tak nikdo nemůže...

Já se asi pochčiju, zašeptal Bruno, ale mistr si to vyložil po svém.

No dobře, obrátil se, Jack s Derekem tady zůstávají, ale bude nám trvat dvě hodiny, než ten auťák vyložíme. Kdybyste tu zůstali i vy, máme to za půl hodiny hotový...

Dál jsem mistra neposlouchal. Zdálo se mi, že mám temeno úplně zmrzlé. Na čele se mi napnula kůže a cítil jsem, jak maso začalo pouštět vodu. Byl to hrozný pocit. Zvedl jsem bradu co nejvýše, kdyby náhodou, aby mi voda tekla po zátylku.

Co se na mne díváš tak spatra, řekl mistr, já to myslím dobře! Je nás osm a musíme si pomáhat, a né aby to všechno odnesli jedni a ti samí...

Porco Dio, otřásl se Bruno, já se pochčiju!

Nekoukej na mne tak blbě, pokračoval mistr, dej tu bradu dolu a řekni, co bys dělal ty na mým místě?

Bál jsem se pohnout. Po zátylku mi sjela první kapka studené vody, pak druhá.

No tak! nutil mě mistr.

Já, já... já se pochčiju, zaúpěl náhle Bruno nahlas.

Boss, já jít toalete, vykřikl zoufale a vyběhl z kanceláře.

Co, co... mumlal mistr, kriste pane, von se vopravdu pochcal, ukázal na malou loužičku, kde stál před chvílí Bruno. Joe se otřásl, myslím, že zimou.

Má něco s ledvinama, řekl na vysvětlenou, už dva dny močí krev.

Mistr se sklonil. Je to ňáký krvavý, přiznal. Že mi nic neřekl? Já zas tak hroznej nejsem, poslal bych ho k doktorovi.

Chtěl jít po šichtě, proto nemohl dělat přes čas, dodal jsem rychle.

Aha. No to mi měl říct, omlouval se mistr, bejval bych ho nezdržoval.

Já mu to vyřídím, stejně už musím jít, řekl Joe a otočil se.

Jako blesk jsem vklouzl před něj, aby mě kryl svým tělem, a vyšli jsme z místnosti. Když jsme přecházeli dvůr k vrátnici, Joe zachraptěl:

Tak ti řeknu, že jsme dneska měli namále. Já jsem tak zmrzlej, že nemůžu ani dejchat.

Bál jsem se přikývnout.

Z práce jsem jel k budově městské rady pro Pavla. Pavel je účetní a pracuje na stavebním oddělení, takže má celkem přehled, kde se prodává laciný stavební materiál nebo pozemky. Byl to také on, kdo objevil Duhové údolí. Duhové údolí se původně jmenovalo docela jinak a patřilo nějaké americké společnosti, která se tu pokoušela pěstovat rýži a zkrachovala. Prý na drahé pracovní síle, což je mělo napadnout hned, Austrálie není země kuliů. Před nimi vlastnil zem nějaký Anglán, který zase zkrachoval s dobytkem a teď jsme vlastnili zem my, občané Duhového údolí.

Jednou odpoledne se Pavel vrátil z úřadu a oznámil, že Land Department bude prodávat v dražbě nějaký pozemek u Mitchell's Rangers. V neděli odpoledne jsme s sebou vzali Jůžina a jeli se tam podívat. Jůžin jako obvykle, seděl na zadním sedadle mého starého holdena a popíjel.

Tak země se vám zachtělo, žbrblal, vy kluci proletářský, vy ste tedy úplně zblbli! Na co chcete zem?

Nic nechceme, jenom se jedeme podívat, odpověděl jsem, ale Jůžin pořád vedl svou.

Zem, to je věčná starost. Já to vím, páč můj táta ještě soukromničil. Měl zpachtovaný tři hektary a celej život se třás, že mu je někdo veme. Pořád mu chybělo na rentu, na daně, a to eště, blbec, šetřil, aby ty tři hektary moh nakonec koupit.

A koupil je?

Koupil hovno! Nakonec je všechny, celou ves, nahnali do JZD a ten sedlák, co mu to patřilo, na nich dře snad eště dneska. Jen my, bezzemci, jsme se vyvlíkli a odstěhovali do města. Tak se ze mne, prostýho burana, stal člověk vy blbouni. Jůžin se spokojeně napil a dodal: Kdepak zem, zem jsou jenom starosti.

Farma na prodej byla asi dvacet mil za městem, na úpatí Mitchell's Ranges, což je nízké skalnaté pohoří, které se rozlézá na západ do Inkermanovy pouště. Našli jsme ji hned. Byla dobře označena a šipky nás zavedly až k bývalé Angličanově rezidenci. Byla to poměrně rozlehlá budova s australskou koloniální verandou kolem dokola, ale dost zchátralá. Zchátralé bylo ovšem všechno. Pár plotů, bývalá zahrada s mangovníky i tank na vodu porostlý jedovatým břečťanem. To nám ale nevadilo. Stáli jsme v úžasu na verandě a pozorovali krajinu kolem. Po naší pravici, až kam oko dohlédlo, se táhlo majestátní Mitchellovo pohoří, u jeho úpatí se vinul potok, který končil ve dvou rozlehlých jezerech. Později jsme zjistili, že byla vybudována uměle, na rýži.

Ještě dál byl vidět zbytek dešťového lesa s lianami a po naší levici se země svažovala do údolí, kde nešťastný Angličan zřejmě pásal dobytek. Pokácel zde všechny stromy a tím otevřel nádherný výhled východním směrem. Na místech, kde tropické deště odplavily svrchní půdu, prosakovala sytou zelení syrová země.

Byli jsme jako omámeni. Bylo po dešti a celým obzorem se táhla duha končící daleko v údolí u hor. I Jůžina ta krása vzala.

Kluci, řekl bujaře, tohle s váma koupím, i kdybych měl přestat chlastat.

Jeli jsme se jenom podívat, zamumlal Pavel, dyk nemáme peníze.

Peníze, mávl Jůžin pohrdavě rukou, podívej se na tu zem! Jen to nech na mně, já se vyznám, já jsem z hospodářství!

Nad hlavou nám haštěřivě přeletělo hejno duhových lorikeetů.

Bože, to je krása, řekl jsem, jak tomu budeme říkat? Čemu?

Tak, tady tomu všemu.

Jak jinak, než Duhové údolí, zasmál se Jůžin.

Když jsme se vraceli, zastavil jsem u každého stromu se šipkou k farmě a Jůžin ji strhl. Bylo nám jasný, že kdyby ji viděl nějaký blbec s rýží nebo s dobytkem, že nemáme šanci.

Největší problém byly peníze. Department chtěl za farmu dvacet tisíc a my víc jak tři drohromady nedali. Pak zapracoval Pavel. Dal do místních novin inzerát, že se hledají lidé se vztahem k přírodě k zakoupení farmy. Lidí se vztahem k přírodě byly spousty, ale většinou měli kytary, dlouhé vlasy a žádné peníze. Asi den jsme si vybírali a nakonec, vztah nevztah, zvítězila realita. Vzali jsme každého, kdo měl tisíc dolarů. Tak se utvořila Společnost Duhového údolí.

Každý z dvaceti podílníků si směl vykolíkovat 8 hektarů, kde chtěl, zbytek, asi 500 hektarů, patřil všem. Také Angličanův dům patřil všem. Začali jsme mu říkat Kaplička a scházeli jsme se zde každý měsíc k valným hromadám, kde se řešily společné problémy. Placení daní, vody apod. V poslední době jsme se ovšem scházeli před Kapličkou, protože do ní se nastěhoval Baba Ranujahne. Baba je indický mystik s vyholenou hlavou, v dlouhém hábitu. Přišel k nám, ani nevíme odkud, ale jak se říká, guru se objeví, je-li žák připraven. Jednoho dne prostě přišel a už zůstal. Učí nás józe, rozjímání a má zajímavé přednášky, ke kterým se scházíme skoro každou neděli.

Před správou jsem zastavil a naložil Pavla. Vlezl do auta svým tichým kočičím způsobem a udiveně na mne pohlédl.

Co se ti, Same, stalo? Rval ses?

Ne, proč?

Seš celej vod krve, vlasy máš úplně slepený.

Jo to, řekl jsem, to je vod masa. Ukrad jsem kus svíčkový a prones to pod kloboukem.

Hmm, Pavel zabručel a ani se neusmál.

Co je? Zeptal jsem se. Problémy v práci?

Nevím, pokrčil rameny, ještě nevím, ale starej Robertson mi říkal, že nás někdo udal. Že nás je dvacet a některý s dětma.

No co, to věděli vod začátku, ne?

To jo, ale nevěděli, že budeme na farmě bydlet všichni. No a?

Ty tomu nerozumíš, povolená je jenom Kaplička, ostatní stavby jsou nelegální.

Jaký stavby? Dyk většinou bydlíme v karavanech. Nějaká ta bouda z papírové lepenky...

Jak v něčem bydlíš pernamentně, ať je to cokoliv, je to považováno za dwelling, a na dwelling musíš mít povolení, jinak ti můžou nařídit, abys to zboural.

Nic bourat nebudu! Když dojde k nejhoršímu, odtáhnu karavan do města a až se to uklidní, zase ho přivezu zpátky!

Ale co bude dělat Philip s Krystýnou, David, Věšák nebo třeba Jůžin s Evou?

To mě nenapadlo. Jůžin už skoro dostavěl třípokojový domek z papírové lepenky a položil základy na verandu. Tiše jsem hvízdl: Co chceš dělat?

Nic, zatím to nehoří. Poradím se ještě s Robertsonem, kdyby správa něco chystala, dá mi vědět. Čas máme, můžeme například zažádat o povolení na všechny budovy.

Dyk jsi říkal, že nám to nepovolej?

To ne, ale takový odmítnutí trvá někdy věčnost a za tu dobu se může leccos stát.

Jako?

Třeba se za tu dobu dostane parcelování pozemků až k nám, co já vím.

Hm, přikývl jsem, řekneme to ostatním?

Ne, zatím si to nech pro sebe, nemá cenu je plašit.

Ubral jsem plyn a odbočil z hlavní silnice na cestu k Duhovému údolí. Prašná cesta se pomalu zdvihala do kopce, ale holden táhl dobře. Jůžin byl mechanik a když jsem potřeboval, vždycky mi auto seřídil.

Na vrcholku byla hranice, ale nikdo nevěděl přesně, kde. Také to nikoho nezajímalo. Uhnul jsem doprava a sjel vyjetou stopou k úpatí rainforestu, kde byl náš karavan. Vlastně můj, Pavel měl osm hektarů kousek dál od lesa, ale bydleli jsme spolu, než si něco postaví. Zatím nám to vyhovovalo.

Sjedu k Babovi s masem, řekl jsem, rozdělej zatím oheň!

Nemám hlad.

Nekecej a běž pro dřevo, odpověděl jsem přísně, za prvé jsem byl minule já, předminule taky já, a za druhý je pátek, večer přijde Jůžin s Evou.

Hmm, zabručel, nech nějaký maso tady, nebo to zase dáš všechno Babovi.

Sáhl jsem do klobouku a vytáhl igelitový pytlík. Maso bylo měkké a pytlík plný krvavé vody. Vytáhl jsem menší špalek a podal mu ho.

Dej to do lednice! nařídil jsem. Pak jsem otočil vůz a vrátil se na vyježděnou stopu. Mohl jsem sice jet šikmo přes pláň, ale z poslední mokré sezóny tam zbyly výmoly, kde déšť doplavil svrchní půdu. Kdysi se les táhl přes celou pláň, ale buď Američani nebo ten Angličan všechno vykáceli a teď už místy nerostlo vůbec nic.

Kaplička byla tichá. Baba seděl na zápraží v pozici lotosu a měl zavřené oči. Nechtěl jsem ho rušit a chvíli jsem stál na místě a rozpačitě přešlapoval. Z pytlíku s masem co chvíli ukáplo, bylo mně dost nepříjemně. Zrovna, když jsem se rozhodl, že proklouznu dovnitř a nechám maso v kuchyni, otevřel Baba oči. Chvíli hleděl nade mne, jako by nic nevnímal, ale pak mne jeho oči zachytily a pomalu se zaostřily. Byl to tvrdý pohled, ale nakonec se Baba usmál.

Vítám tě, bratře, přistup, vyzval mě.

Přinesl jsem ti dárek, odpověděl jsem.

Tisíceré díky. Dnes jste skládali maso, že?

Zrudl jsem jako krocan a nejraději bych s pytlíkem praštil.

Říkals mně..., ale nedal mi domluvit.

Bratře, kdo bohatým bere a chudým dává, nemá se zač stydět. Pán Nebes tvůj čin nezatratí. Jak ti jde meditace?

Dobře, zakoktal jsem, cvičím skoro každý den.

Cvič každý den! řekl důrazně. Neopouštěj Cestu sebepoznání, byla by to škoda. Už jsi viděl své srdce?

Ještě ne, přiznal jsem, ještě se na to nedokážu plně soustředit.

Přijď zítra ráno. Hodinu před východem slunce. Ukážu ti tvé srdce.

Přikývl jsem a podal mu maso. Baba zručně vymáčkl vodu z pytlíku na zem a podíval se na mne.

Moc toho není.

Pytlík byl opravdu scvrklý. Nervózně jsem pokrčil rameny: Víc se mi do klobouku nevešlo... Ale hned mě napadlo, že jsem asi dal Pavlovi větší špalek.

Baba se usmál:

Maso není pro mne, já jsem vegetarián... a ty maso také dnes nejez, chceš-li mít zítra úspěch. Nezapomeň, hodinu před východem slunce.

Zavrtěl jsem hlavou:

Nezapomenu...

Same, kloubouk máš malý, ale srdce máš velké... S těmi slovy mě Baba propustil.

Když jsem se vrátil, oheň už hořel. Pavel byl zřejmě u potoka, kde roste divoký bambus. Od ohně po větru ležela slušná hromada suchých kmenů, ale nevěřil jsem, že nám bude stačit. Bambus je dobré topivo, které hoří rychle a vydatně, ale je dutý a jeho spotřeba je značná. Zvláště, když máme na návštěvě Jůžina s rodinou. Jůžin rád posedí, popije, ale hlavně popije, až se mu nakonec začne úžit okolí. Úží se společníci, karavan, oheň i obloha, úží se vše, nač se podívá, až to nakonec Jůžin nevydrží a oznámí konec večera.

Mámo, řekne Evě, mámo, mně se zas všechno úží, pojďme dom...

Eva vstane, však ho dobře zná a ví, že bez pomoci Jůžin domů nedojde, protože se mu úží cesta a jak zvedne nohu, už s ní těžko tu cestu najde, neboť i noha se úží a takovou zúženou nohou tu úzkou cestu sotva našlápne, natož abyste po ní někam došel. Jenže než se tohle všechno stane, uplyne hodně času, který nás stojí spoustu dřeva.

Přivítal mě Borek, Jůžinův syn. Přihnal se k autu a spiklenecky zamrkal:

Strejdo, zašeptal horečně, dostanu dárek! Je to veliký překvapení, ale až bude úplněk, tak mi Tommy dá bumerang! Můj první bumerang! Pak už můžu jít s klukama lovit, už nebudu muset jenom nadhánět!

To není žádný překvapení, když víš, co dostaneš.

Ale kdepak, tohle je překvapení! trval na svém. Nikdo o tom neví, akorát já.

A co táta?

Ten taky nic neví, ale hlavně si musím dát pozor na mámu, aby nic... odmlčel se. Hele, že jí nic neřekneš, viď?

Copak jsem na tebe někdy žaloval? řekl jsem přísně.

Ne, to ne, zarazil se, ale víš, jaká máma je, nechce abych mezi ně chodil... s ženskejma je někdy potíž... povzdychl si.

Na jeho deset let to byl zkušený komentář. Kousl jsem se do rtu a slíbil: Nic neřeknu, neboj se.

Tak co je? zavolal Pavel. Mám začít s večeří?

Začni, já se jen umeju.

Zašel jsem za karavan, kde máme tank s vodou, a natočil džber. Vodu jsem pak přelil do konve s kropítkem, vytáhl ji přes větev čajového stromu, a zatáhl za provázek. Prokropila mě příjemná chladná voda. Jak jsem se mydlil, napadlo mě, že vlastně nemusím pospíchat. Ráno půjdu na meditaci k Babovi, asi bych neměl jíst maso. Hlad jsem měl, ale rozhodl jsem se, že maso jíst nebudu.

Seš blbej, prohlásil Jůžin, dneska maso, zejtra chlast, pozejtří se vybodneš na ženský a do měsíce je z tebe buzerant.

Jůžine! vyjekla Eva a pohodila hlavou směrem k Borkovi.

Borku, běž si hrát, řekl Jůžin, běž do karavanu, strejda ti půjčí nějakou knihu...

Tak jó, souhlasil Borek, strejdo, můžu si půjčit TU knihu? Oči se mu rozsvítily a překotně vstal.

Jakou knihu? zbystřila pozornost Eva. Né aby to byla nějaká sprosťárna!

Kdepak, je to kniha o Austrálii. Obrázková kniha, dodal jsem rychle.

Já vím, minule jsi mu taky půjčil obrázkovou knihu a byly tam samý nahatý ženský.

To byla kniha o domorodcích, bránil jsem se slabě.

Jen ho nech, vmísil se Jůžin, kdyby bylo po tvým, tak se kluk ani nedoví, že ženská má kozy.

Já vím, a kdyby bylo po tvým, tak vyroste jak kůl v plotě! Ty si ho vůbec nevšímáš. Jinej táta by ho učil mechanikem, byl by rád, kdyby se kluk motal kolem motorů, ale kdepak ty, ty, když něco opravuješ, tak ani nevíš kde je!

Co ho budu nutit? Chceš, aby dopad jako já? Podívej se na ty ruce! Klouby věčně vomlácený, špínu za nehtama, že se nedá ani vymejt.

Jen nech bejt, ono to má taky svý výhody, vskočila mu do řeči Eva, kdybys nebyl mechanikem, nemoh by ses pořád tak flákat. Takhle uděláš pár melouchů a zbytek týdne prosedíš v hospodě.

Jo, vejhody, povzdechl si Jůžin, tak na příklad brilantinu jsem si nekoupil vod tý doby, co jsem u řemesla. Vždycky, když se chci učesat, stačí, když si prohrábnu vlasy rukou vod voleje.

Zasmáli jsme se.

Nechte toho hádání, využil jsem příležitosti, náhodou máte prima kluka, takovýho vám může každej závidět, a jednou z něj něco vopravdu bude.

Doufám, že ne mechanik, ušklíbl se Jůžin.

Proč ne? Já bych byla ráda, kdyby z něj byl mechanik. Aspoň ten blbej mechanik, vždyť takhle z něj nebude nic!

Co by z něj nic nebylo? Učí se dobře, do školy chodí, začal Jůžin.

Tomu říkáš škola? Tý boudě, do který chodí? Jednotřídka, postěžovala si Eva, jeden kantor na celou školu a žáci samý domorodci. To se mu to vyniká, když všichni na učení kašlou! Samá legrace, praní a tobě to nevadí, co? Tobě nevadí, že se kamarádí se samejma aboridžinálama? Že místo úkolů nosí domů samý hady, papírovou kůru...

Ale, mámo, dyk mu je deset! Víš, co sem nosil domů já v jeho věku? My lovili z Botiče prcgumy...

Co máš proti domorodcům? vmísil jsem se. Borek má náhodou štěstí, že se naučí jejich řeč. Kdybych já... Ale Eva byla v ráži a nedala mi domluvit.

Tomu říkáš štěstí? A kde se s tím domluví?

To nevadí, jazyk je jazyk, víš, co říkal Masaryk.

Tak deset mil po řece Jalboi nahoru, vejš už se mluví jinak! Kdyby se učil třeba německy, povzdechla si.

To by se na Jalboi daleko nedostal, usmál se Pavel.

Co jsem se tě naprosila, obrátila se Eva k Jůžinovi, abys ho aspoň zapsal do školy v Port Douglasu, ale málo platný.

Co můžu dělat? Škola začíná v devět a já v šest, kdo nám ho ty tři hodiny bude hlídat?

A to chceš, aby celej život chodil do školy tady?

To ne, zamyslel se Jůžin, až půjde do střední, dáme ho zapsat v Port Douglasu.

A jak to chceš dělat, když začínáš v šest? zeptala se Eva jedovatě.

Nějak to už uděláme.

Jak?

No třeba ti koupím auto a budeš ho do školy vozit ty.

Opravdu? To nemyslíš vážně!?

Nemyslím, přiznal Jůžin, ale co se s tebou budu furt hádat?

Ale Eva už neposlouchala. To by šlo, mumlala, kdybych měla auto, odvezla bych kluka do školy a mohla si přes den najít nějakou práci.

Nic jsem ti neslíbil! tvrdil Jůžin.

Taky bych mohla dělat nákupy pro lidi, co auto nemají.

Jenom jsem o tom uvažoval, trval na svém zoufale Jůžin, vůbec mě nenapadlo, že bys to mohla vzít vážně.

Tak domluveno! Na vánoce mi koupíš auto, oznámila Eva. Teď půjdu domů. Je už pozdě a ráno musím brzo vstávat, zívla. Zvedla se a zavolala Borka.

Když odešli, seděli jsme chvíli mlčky. Jůžin zíral tupě do ohně, ale nemyslím, že se mu úžily plameny. Vypadal dost střízlivě.

To sem tomu dal, řekl po chvíli.

No co, koupíš starou bombu za padesát a dáš to do kupy, však seš mechanik, chlácholil ho Pavel.

Vo to nejde, ale kdo bude platit, registraci, benzín, pokuty...

Jaký pokuty?

Už jsi viděl Evu řídit?

Tak ji nauč!

Hmm, zabručel, budu muset. Příští tejden jedem do města, asi ji posadím za volant.

Kam jedete?

Na návštěvu, k jedněm známým.

Ke komu? zbystřil Pavel pozornost.

Ále, ty neznáš.

Tajemství? zeptal jsem se.

Překvápko! Odpověděl. Ale slibte mi, že si to necháte pro sebe! V očích mu zajiskřilo a ani nečekal na slib.

Já si totiž píšu s jedněma swingařema... Tuhle jsem našel inzerát ve Hvězdě, nějakej chlápek tam nabízel svou ženu, že jako hledají vhodnou dvojici, která má ráda sex, ke společným rozkoším, tak jsem mu odpověděl.

Nekecej! vykulili jsme oči.

Fakt, přísahám! Už jsme si dokonce vyměnili fotky. Má docela pěknou buchtu.

Kdo?

Von, vona vlastně taky, zasmál se Jůžin.

A Eva vo tom ví?

Neví, to bych na vás jinak nechtěl, abyste jí to neříkali, ne?

No jo, ale jak budeš potom swingovat? zeptal jsem se nechápavě.

Nějak už to udělám. Zkrátka půjdem na návštěvu a vona už se situace nějak vyvine.

To pochybuju, řekl Pavel, jak znám Evu, tak se situace vyvine tak akorát do rozvodu.

Ale hovno, cuknout můžu vždycky.

Seš blbej, máš prima ženu, kluka, vmísil jsem se, já bych to neriskl.

Taky nejseš deset let ženatej.

No, odpověděl Pavel, to je tvoje věc. Já jsem moc zvědavej, jak to dopadne, ale teď si půjdu lehnout, musím ráno brzy vstávat.

Já taky, připojil jsem se.

Hergot, s váma je hovno zábava, ulevil si Jůžin. Nejdřív mě sem pozvete, a teď abych se vožral úplně sám. To jsem moh zůstat doma!

Vstal jsem ještě za tmy, ale snídani jsem si neudělal. Na lačný žaludek se medituje lépe. Ostatně, zdržel jsem se hledáním sandálů, ne a ne je najít, a pak už na snídani stejně nebyl čas. Byl bych vzbudil Pavla, ale jeho lůžko bylo prázdné. Překvapilo mě to a sáhl jsem do ležení.

Prostěradla byla ještě teplá, musel vstát chvilku přede mnou. Nakonec jsem se rozhodl jít bos.

Nad severozápadním horizontem visel Velký vůz, ale byl vzhůru nohama. Zastavil jsem se a zvrátil hlavu, abych ho viděl v té pozici, v jaké je vidět v Praze. Kdyby se teď někdo doma díval, mohly se naše pohledy setkat, napadlo mě, ale nebyl jsem si jist, zda je to možné.

Vrátil jsem hlavu do normální pozice a pokračoval v cestě. Rosa byla chladná a nepříjemně studila. Co chvíli jsem šlápl na ostrý kamínek, ale vrátit jsem se už nemohl. Měl jsem málo času na to, abych došel ke Kapličce, natož vracet se pro boty. Co chvíli zatrylkoval pták a ozval se chechtot kookaburry.

Baba seděl na východní verandě. Mezi ostatními byl také Pavel a k mému velkému překvapení i Eva. Věšák právě něco tiše vykládal. Seděli v polokruhu se skříženýma nohama a trpělivě naslouchali. Přisedl jsem bez pozdravu. Věšák se podíval k Babovi, který neznatelně přikývl.

Tak ještě jednou, povzdechl si řečník a vyčítavě na mne pohlédl. Ruce na kolenou, dlaněmi vzhůru. Palec a ukazováček tvoří písmeno O. Zavřete oči a soustřeďte se na pomyslný bod, ale jinak zůstaňte uvolněni. Pak si představte srdce. Vaše srdce! Sval, který se zdvihá a klesá ve stejnoměrných intervalech. Nesnažte se vidět dovnitř, žádnou proudící krev! Jenom stejnoměrný pohyb - nahoru, dolů, nahoru dolů... Baba vás pak zkontroluje svým vnitřním zrakem. To se nedá popsat, ale pocítíte to. Nepanikařte! Přijměte vše v oddanosti a s láskou... Tak, odmlčel se, můžeme začít.

Zavřel jsem oči a soustředil se na pomyslný bod, ale nedařilo se mi. Cítil jsem, jak se oči pod víčky docela prostě kříží, ale výsledek to nepřineslo. Rozhodl jsem se, že nebudu myslet na nic. Pomalu jsem se začal uvolňovat. Zdálo se mi, že uvolněné tělo malátně visí na kostře. A najednou, v tom uvolnění, jsem zaslechl tlukot. Bylo to vnitřní cítění vlastního tepu a nejzajímavější bylo, že nevycházelo z hrudi. Byl to tep, který stejnoměrně otřásal celým tělem. Pomalu jsem se začal hroužit do vlastního tepu, jako bych padal do tmavé jeskyně. Tep se zrychloval, ale pořád jsem ho cítil všemi směry. Cítil jsem jej od prstů u nohy až po kořínky vlasů najednou, jako by celé tělo bylo jediný, lehce kontrolovatelný bod v času a prostoru. Jako bych byl na dvou místech najednou, taková to byla senzace.

Pak mě zalila horká vlna. Nejprve mě zasáhla v hrudi a rozlila se po celém těle. Pocit, ne nepodobný vlně horkého vzduchu. Vlna opadla, aby se znovu vzedmula a najednou jsem něco uviděl. Jasně oranžové kruhy se rozplývaly, jako když hodíte kámen do vody. Kruh za kruhem vystupoval z temného středu a běžel po pomyslné hladině. Pak kruhy začaly tmavnout do ruda a uprostřed začal pohyb. Nahoru a dolů, nahoru a dolů... Uviděl jsem srdce, své srdce... Pohybovalo se jako měch. Horká vlna mě stále držela, ale pak, stejně rychle jako přišla, mě opustila. Uvědomil jsem si, že to byl Babův vnitřní pohled, který na mně spočinul.

Ještě chvíli jsem srdce pozoroval. Teď už chladně a racionálně, bez oné smyslnosti, kterou ve mně vyvolala horká vlna. Připadalo mi velice křehké a unavené, až jsem se začal bát, aby vydrželo nápor mého soustředěného pohledu. Pomalu, s citem jsem je začal opouštět. Pozvolna jsem se vzdaloval, až jsem otevřel oči. Bylo světlo, ale slunce ještě nevyšlo. Většina, včetně Baby, měla oči zavřené, jen Eva s Věšákem byli již "vzhůru". Eva se blaženě usmívala a vyjeveně se rozhlížela kolem. Napadlo mě jestli mám taky tak připitomělý výraz. Asi ano. Věšák se usmál a pokývl. Zašklebil jsem se a přitakal.

Pak se, jeden po druhém, probrali ostatní. Baba se po nás spokojeně rozhlédl.

Bratři, řekl, je pár minut do východu slunce. Čas Tatvy. Čas dechového cvičení. Postavte se všichni čelem ke slunci a zvedněte ruce. Roztáhněte prsty a zhluboka vdechujte nosem. Zároveň si představte, že vám s každým vdechem proudí do konečků prstů kosmická prasíla. Jakoby kužele světla vstupovaly do vašich prstů. Ti z vás, kdo mají větší sílu, soustředěnost, je možná i uvidí.

Baba se postavil čelem k údolí a pozvedl ruce. Následovali jsme jeho příkladu. Vdechoval jsem zhluboka, ale kromě svěžího vzduchu jsem nic necítil.

Po dechovém cvičení nás Baba pozval na snídani. Přinesl bílý chléb s džemem a děvčata připravila čaj. Jedli jsme pomalu.

Nic podobného jsem ještě nezažil, řekl jsem.

Já taky ne, odpověděl Pavel, byla to senzace. Taky jste viděli údolí?

Jaký údolí?

Naše údolí! Přece Duhové údolí, a zrovna vycházelo slunce, ale vůbec to nebylo slunce, ale moje srdce, a ty barvy!

Já žádný údolí neviděl.

A muziku, muziku jsi taky neslyšel? Byla to hudba, ale úplně jiná, vůbec se nedalo poznat, jaké nástroje hrály. Taková zvláštní melodie.

Zkus to zapískat.

Pavel našpulil rty a vydal pár zoufalých zvuků.

Ne, potřásl hlavou, to nejde. Nějak, člověče, to nemá melodii. Melodie bez melodie.

Tys to taky slyšela? Obrátil se na Evu.

Ne, já slyšela něco úplně jiného. Jako vzdechy, ale nebyly to vzdechy, a pořád se to zrychlovalo a pak, - pak Eva rozhodila ruce.

Pak přišla ta horká vlna... navrhl Pavel.

To taky, ale byla to, já nevím...

Byla to senzace!?

To taky, ale pak, pak...

Pak jsi uviděla srdce?

Né, pak...

Pak ses probrala.

Pak sem měla orgasmus, ty blbe, ulevila si Eva a odešla do Kapličky.

Podívali jsme se překvapeně na sebe. Všiml jsem si, že Pavel má moje sandály.

Tak proto jsem je nemohl najít, řekl jsem.

Co, sandály? Netušil jsem, že taky půjdeš. Vo ničem ses večer nezmínil.

Ty taky ne.

No jo, já nevěděl, že seš pozvanej, Baba si vybíral. Proto taky přišla Eva a ne Jůžin.

Jůžina nepozval?

Ne.

Povytáhl jsem obočí.

Ne, nic ve zlým, řekl rychle, Baba to myslí dobře, řek Evě, aby na něj působila, že jeho čas ještě přijde. Ono ani nešlo o Jůžina, ale o nás. Musíš uznat, že by nám to moh bejval zkazit. Pořád je samá srandička, kecy, pochybuju, že by se dokázal soustředit.

Něco na tom bylo. Musel jsem uznat, že se Jůžin moc soustředit neumí. Nejvíce se, bohužel, dokáže soustředit na chlast, a to pak medituje víc ze sebe než do sebe.

Po snídani se rozproudila živá debata. Eva se ptala, jaký to vše má smysl. Holohlavý Ranujahne se usmál.

Nic nemá smysl, tvrdil, není smyslu v tom, co děláme, pouze to, co děláme, a to je beze smyslu.

Tak proč to děláme? otázal jsem se.

Proč vychází slunce? odpověděl.

Protože se otáčí Země, dovolil jsem si poznamenat. Zdrtil mě pohledem. Také ostatní se na mne podívali nevražitě. Najednou jsem si připadal jako úplně malej kluk, kterej provedl nějakou lumpárnu. Zastyděl jsem se a ani nevěděl proč.

Hovor se pak stočil. Krýstýna s Philipem dokonce navrhli, abychom utvořili bratrstvo nebo tajnou společnost, ale já už jsem poslouchal jen napůl a přemýšlel, proč jsem se vlastně styděl. Jak jsem hloubal, měl jsem nepříjemný pocit, jako by mě Baba pozoroval, ale nějak vnitřně, protože navenek si mě vůbec nevšímal. O bratrství prohlásil, že to není špatný nápad, ale trochu předčasný. Doporučoval, abychom se nejprve dobře poznali a hlavně abychom hodně cvičili jako dnes ráno a meditovali.

Debata se protáhla až do oběda. Opouštěli jsme Kapličku v plném žáru poledne. Na cestě domů jsem se pohádal s Pavlem. Šli jsme vyježděnou cestou plnou drobného červeného štěrku, který mě nepříjemně píchal do chodidel, ale dokud jsme byli ve stínu stromů, statečně jsem šlapal. Pak jsme však opustili hájek, který Kapličku obklopoval, a vystoupili na rozžhavený písek pláně. Chvíli jsem ještě poskakoval, ale pak už to bylo k nevydržení. Skočil jsem Pavlovi na záda.

Co blbneš! vykřikl. Seš teplej nebo co?

Nes mě, navrhl jsem, víš, jak je to rozžhavený?

Hovno, odpověděl a udělal náhlý předklon. Nečekal jsem to a dopadl na hlavu a na záda.

Joj! zařval jsem. Spálil jsem si záda!

Nebreč, citlivko.

Dej mi moje sandály, srabe! To se ti to kecá, když seš vobutej v mým!

Na, vem si je a vyliž mi prdel, urazil se.

Sundal jeden sandál, hodil ho po mně a zároveň si

stoupl bosou nohou na zem, aby mohl zout i druhý.

Joj! zařval a rychle si stoupl na obutou nohu.

Pak přišla hádka. On tvrdil, že jsem si měl vzít jeho sandály, když jsem zjistil, že on má moje, a já se bránil tím, že jsem neměl šanci, když on, jejich majitel, je nenašel.

Nakonec jsme se dohodli, že domů doskáčeme po jedné noze. Na jedné noze, ve čtyřiceti ve stínu, toho jeden moc nenaskáká. Zjistil jsem, že nejlepší je běžet. Uběhnout takových třicet metrů, zastavit se, postát na jedné noze a znovu se rozběhnout.

Za plání už to šlo, bylo zde více trávy a také stromů přibývalo. Uhnul jsem nalevo a místo do stráně ke karavanu jsem seběhl k potoku. Rostl tu divoký bambus a na druhé straně Jalboi creeku, přímo z vody se zvedaly skály začínajícího Mitchellova pohoří. Běžel jsem chvíli proti proudu až k tůni, kde jsme se vždy koupali, a skočil do vody. Byla to nevýslovná lahoda. Tůň byla na konci dešťového lesa, který se táhl proti proudu a dodával potoku čistou chladnou vodu. Přeplaval jsem na druhou stranu, do stínu skal. Byly zde až dvoumetrové prohlubně a Jůžin nás strašil, že se v nich drží krokodýlové, ale moc jsem mu nevěřil. Potok byl na krokodýly moc malý a také jsem tu nikdy žádné nespatřil, ba ani jejich stopy. Vybral jsem si mělké místo a usedl na dno. Vody bylo sotva po krk. Pak se objevil Pavel. Došel až k místu, kde jsem zanechal svůj sandál a pohodil k němu druhý. Pomalu vstoupil do vody a potopil se. Chvíli se blaženě nechal unášet proudem a potom přeplaval ke mně.

Eště seš nasranej? zeptal se.

Zavrtěl jsem hlavou:

Už na to nemyslím...

A na co myslíš?

Napadlo mě, jestli se tady cítíš doma?

Zasmál se. Moc ne. Někdy mi jdeš na nervy, potřeboval bych si koupit vlastní karavan...

Vo to nejde, já myslel tady jako v Austrálii.

Celkem to ujde, nestěžuju si...

Cítíš se tady doma, nebo by ses radši odstěhoval?

To ne, mně se tady líbí.

Proč?

Tak, je tu hezky, pěkný holky, dobrý jídlo... minule jsem letěl do Sydney a v Novém Jižním Wallesu jsme letěli přes západní obilní pás, to ti byla krása, kam oko dohlídlo, všude samý žrádlo. Když si vzpomenu, jak doma máma stála pořád ve frontě a nic nebylo k sehnání...

No dobře, ale to furt mluvíme vo žrádle, mně jde vo to, jestli to tu považuješ za domov, jestli k tý zemi něco cítíš?

Vo co ti de?

Jen mě napadlo, že jsme tady úplní cizinci, cizí element v Austrálii, tropech, ba i v tomhle údolí. Všim sis, jaký jsme zoufalci, když máme třeba udělat tak běžnou věc, jako jít bosí v písku? My sem nepatříme.

Počkej, Pavel se zamračil, písek byl rozžhavenej...

No a? Já viděl domorodce...

To je něco jinýho, skočil mi do řeči, kdybys se tu narodil a celej život běhal bos, taky by mě to nepálilo.

Vo to právě de. My jsme se tu nenarodili, ale jsme tu, teď, v tomhle okamžiku, a nic neděláme, abychom se s touhle zemí sžili. Až se teď vykoupeme, půjdeme do karavanu a najíme se. Dáme si pěkně šunku z konzervy, chleba, který se tady upekl z dovezené mouky, hořčici, možná kompot, mlíko, pivo, co já vím, ale všechno to je udělaný či vypěstovaný někde jinde a sem dovežený. Nám se tu líbí, máme rádi scenérii, ale serou nás moskyti, tak se postřikujeme aerogátem, aby na nás nešli, jsme v

Austrálii, ale jíme jako v Evropě. Kdybys doma zabloudil v lese, tak přežiješ, najdeš si houby, políčíš oko na zajíce, najdeš potok, aby ses napil, a páč se tam umíš orientovat, najdeš nakonec i tu blbou cestu domů. Ale tady? Za tři dny bys chcíp žízní. Kdyby někdo napad Austrálii a nás poslali do buše ji bránit, tak buď zabloudíme, umřeme hladem nebo nás uštípou mouchy, komáři...

Kdyby někdo napad Austrálii, řekl Pavel, tak rychle uteču do Jižní Afriky.

Nic nechápeš, mávl jsem rukou.

Chápu, zamručel, ale co chceš dělat? Běhat nahej po lese jako domorodec, aby sis uhnal malárii?

Nevím, něco bych dělat měl, i když třeba jen proto, abych jednou moh jít po písku a nepálilo to...

To abys bral hodiny u nějakýho černocha, řekl, ale aspoň to budeš mít laciný. Za dvě piva si i zašukáš...

Oba jsme se rozesmáli. Pavel přeplaval ke břehu. Vstal jsem také a ještě jednou si zaplaval podél skály. Ustupovala trochu do břehu a tvořila přirozený převis. Potopil jsem se a zaplaval pod ni. Voda zde byla studenější a náhle mě obklopilo příšeří, až jsem se polekal. Začal jsem se obracet, abych vyplaval, a vtom jsem pod skalním převisem uviděl světlo. Nebylo daleko, tak pět šest metrů ode mne. Napadlo mě, že to musí být tunel na druhou stranu skály, ale kam? Z našeho břehu je skála opravdu vysoká a masivní, ostatně tvoří pouze část hřebenu, který je zase součástí celého pohoří, a to je aspoň deset mil široké. Umínil jsem si, že musím té záhadě přijít na kloub a tunel prozkoumat.

Tak pojď, vítal mě Pavel, když jsem se vynořil.

Pojď se podívat na parádní oběd. Já si dám šunku v konzervě, chleba, hořčici, kompot a pak otevřu pivo. Všechno prvotřídní, dovezené zboží. A ty, ty si běž ulovit klokana! A nezapomeň jít bos!

V sobotu jel Jůžin s Evou do města. Na mejdan ke svingařům. Nejprve k nám přivezl Borka. Na hlídání. Přijel v nové košili a v dlouhých podkolenkách, v životě jsem ho neviděl tak vyparáděného. Začali jsme se ho vyptávat, jestli už Evě něco řekl, ale odbyl nás mávnutím ruky. Kdepak, Eva nic neví, ono se to už nějak vyvine.

S Borkem nebyly problémy. Den předtím jsem mu slíbil, že ho vezmu na misii, kde žila většina jeho spolužáků a kde měli večer promítat film. Hrozně se těšil, pořád pozoroval oblohu, kdy už se začne stmívat, abychom nepřijeli pozdě. Nakonec mě doslova umluvil. Vyjeli jsme o hodinu dříve, než bylo nutno.

Jůžin jel do města. Eva seděla vedle něj ve svých nejlepších šatech a usmívala se. Nestávalo se často, že ji Jůžin někam vzal, a téměř nikdy na návštěvu. Však také v Port Douglasu mnoho známých neměli. Evu sice překvapilo, že měli jet k lidem, které vůbec neznala a o kterých Jůžin tvrdil, že jsou jeho dobří přátelé, ale Jůžin znal hodně lidí přes melouchy, to byla pravda.

Jsou to zajímaví lidi, tvrdil, Jack se zajímá vo ty samý věci co ty. Meditace, Bůh a tyhle blbosti. Uvidíš, že si budete rozumět.

Do města přijeli až za tmy a tak se Jůžin zapotil, než našel udanou adresu. Byli očekáváni. Pán domu byl čistě oholen a oblečen podobně jako Jůžin. Paní byla vyloženě sexy v krátké sukénce a velmi vystřižené halence, pod níž neměla podprsenku.

Pojďte dál, přivítal je bodře Jack, ty seš jistě Eva a tohle je Magda, můj poklad. Nevyměnil bych ji za nic na světě a když, tak jen na chvilku... smál se.

Po neformálním představení uvedli manželé oba návštěvníky do obýváku, kde se Jůžin vytasil s lahví vína a květinami pro Magdu. Jack nalil a všichni usedli. Chvíli se bavili o všem možném a pak Jůžin mrkl na majitele domu.

Říkal sem Evě, že tě zajímá mystika a tak. Vona se vo tychle věci hrozně zajímá...

Mystika? Jo, no jó, mystika, samozřejmě, usmál se chápavě Jack a mrkl také.

Ano, mystika, potvrdil Jůžin a vstal. Tak si tady hezky povídejte a já se vám podívám do knihovny. Hrozně mě zajímá ta kniha, jaks mi o ní říkal, a Jůžin znovu na majitele mrkl, tentokrát tak významně, že nemohlo být pochyb.

Ovšem, ta kniha... zamrkal Jack. Magdičko, vezmi Jůžina do ložnice a ukaž mu ji: My máme knihovnu v ložnici, dodal k Evě na vysvětlenou. Magdička se zvedla, zhoupla v bocích a vyšla z obýváku. Sotva vstoupili do ložnice, vzal ji Jůžin v pase a přitáhl k sobě.

Ser na knihu, poradil jí a strhl z ní blůzu.

Ty divochu... usmála se Magda a shodila sukni. Neměla pod ní nic.

No a co my, zašvitořil Jack k osamělé Evě. Budeme se bavit o mystice nebo...

Já bych si nejdřív dala něco k jídlu, odpověděla pitomě Eva, která stále nic netušila.

Samozřejmě, nejdřív něco k jídlu. Jack byl ochota sama. Přistrčil k ní tác s obloženými chleby a nespokojeně se díval, jak se do jednoho s chutí zakousla. Chvíli bylo ticho a pak to Jack zkusil znovu.

Ukážu ti pár časopisů, řekl jsou to vopravdu sexy časopisy, uvidíš, že tě budou zajímat.

S kávového stolku v rohu sebral dvě čísla časopisu "Sex swingers", přisedl k Evě a jeden před ní otevřel.

Eva ztuhla. Z časopisu na ní zíral muž, na kterém seděla žena. Oba byli nazí a žena seděla tak, že bylo vše vidět. Než se Eva vzpamatovala, ucítila, jak po ní jede Jackova ruka.

No dovol! řekla.

Ale Jack ji nevnímal, z očí mu sálala smyslnost a měl

připitomělý výraz. Vzal Evu za prsa. To neměl dělat a v obličeji by mu nepřistál tác s chlebíčky. Chlípník vystřízlivěl, ale hned nepochopil.

Jak, jak, jak to, koktal, vždyť přece, ty a já, Magda... Ježíšmarjá, zařval, podvodníci! A vyběhl z obýváku.

Přeběhl chodbu k ložnici a prudce otevřel dveře. Přišel pozdě. Magda seděla nahá na posteli a Jůžin si právě dopínal opasek.

Ty hajzle! zařval Jack, ale víc se neodvážil. Jůžin byl přece jen o hlavu větší.

Drž hubu, zamračil se úspěšný milovník, nebo tě přes ní plácnu! Tak tobě se zachtělo swingovat, jó? Tobě, člověku, kterej se zajímá vo mystiku? Že se nestydíš: S těmi slovy Jůžin zkoprnělé manžele opustil.

Sjel jsem pomalu k brodu, zařadil jedničku a přejel Jalboi. Vody tu moc nebylo, v nejhlubších místech sotva po nápravy. Prašná silnice zde byla pěkně vymlácená. V mokré sezóně se potok vždy rozlil a vymlel strouhy napříč cestou. V životě jsem tudy nejel, ale stav silnice mě překvapil. Suchá sezóna byla téměř u konce a tady se ještě nedostali ani k tomu, aby opravili škodu způsobenou minulým obdobím dešťů. Kdy to, sakra, chtějí dělat, napadlo mě.

Poslyš, Borku, řekl jsem, nějak se mi ta cesta nelíbí, nesplet ses?

Nesplet, odpověděl rychle, tohle je zkratka. Silnice vede přes pláň.

Radši bych jel přes pláň, podívej, jak je to tu rozbitý, zamručel jsem.

Vůz nadskakoval, házel sebou, měl jsem vážné obavy, že z něj vytřesu všechny šrouby. Borek se držel křečovitě držadla u dveří a vytrvale hleděl z okna. Nedíval se však na cestu, ale doleva, do pláně, která se táhla kolik mil a končila v Ickermanově poušti.

Na co se díváš? zeptal jsem se.

Na nic.

Tak se podívej na tu cestu, zpátky jedem po silnici, rozumíš?

Přikývl, mrkl před sebe a rychle zase otočil hlavu. Zdál se mi ten pohyb trochu křečovitý. Jako by se nechtěl před sebe podívat.

Podej mi cigarety, zkoušel jsem ho, jsou v boxu.

Box byl mezi námi, čekal jsem co udělá. Po paměti odklopil víko, nahmatal cigarety a podal mi je, aniž by se otočil. Vzal jsem mu paklík z rukou a rozhodl se. Za zatáčkou jsem zastavil.

Co je? vyhrkl.

Nic, pojď se napít, navrhl jsem přátelsky.

Nemám žízeň.

To nevadí, potřebuju, abys mi pomoh.

Vystoupil jsem, obešel vůz a otevřel zavazadlový prostor. Byl v něm kanystr s vodou a několik kalíšků na pití. Mohl jsem si vodu nalít sám, ale schválně jsem postavil kanystr na blatník a držel ho oběma rukama.

Tak pojď! zavolal jsem.

Neochotně vystoupil a se skloněnou hlavou přeběhl dozadu. Vzal kalíšek a přidržel ho pod kohoutkem.

Napij se, navrhl jsem.

S chutí se napil.

Myslel jsem, že nemáš žízeň...

Zarazil se a sklopil hlavu.

Borku, nejprve jsem si myslel, že se nechceš podívat na mne, ale teď vím, že se nechceš podívat tímhle směrem, máchl jsem rukou za jeho záda. Proč?

Tam někde je Yirmbal.

Zvedl jsem hlavu a podíval se za něj. Pláň porostlá stromy a vzadu skály. Nikde nic.

Co je to Yirmbal?

Tajné místo... zabručel.

Jaké tajné místo?

Nevím, pokrčil rameny.

Bylo vidět, že se mu nechce mluvit. Chvíli jsem uvažoval a pak jsem dostal nápad.

Pěkně jsme si nadjeli, máme spoustu času, řekl jsem, víš co? My se na to místo půjdeme podívat!

Ne, to ne, zaprosil rychle, to, strejdo Same, nemůžeme. Prosím tě to ne!

No dobře, souhlasil jsem, když nemůžeme, tak nemůžeme, ale musíš mi slíbit, že mi řekneš, proč...

Nešťastně přikývl. Uložil jsem kanystr s vodou a znovu jsme nasedli.

Tak povídej, vyzval jsem ho už za jízdy.

Moc toho nevím...

Borku, já nic neřeknu, však mne znáš.

Já vím, na tom nezáleží...

A na čem záleží?

Na mně, odpověděl, já nesmím říct, a ne ty!

Najednou mi to došlo. Vždyť já tu lákám tajemství z malého kluka, který se nemůže bránit. Stačí, abych pohrozil tátou a... Přitom mně o nic nejde, jemu jde o čest. Hluboce jsem se zastyděl.

Co nesmíš, mi neříkej, jenom co můžeš, zabručel jsem.

Vopravdu?

Vopravdu.

Vděčně se na mne podíval. Bylo vidět, že se mu ulevilo.

Ty seš ze všech nejlepší, prohlásil, s tebou se dá mluvit, ale já moc nevím. Je tam tajné místo, které nesmí vidět ženy a nedospělí. Je to prý blízko cesty, tak jsem se nechtěl dívat, abych náhodou... chápeš?

To je všechno?

Jo.

Zasmál jsem se: Tos nadělal cavyků kvůli úplný maličkosti...

To není maličkost! odporoval.

A co je to?

To je veliká věc, jenom pro muže, ale to už ti nesmím říct!

A kdo mi to řekne?

Pokrčil rameny: Nevím, možná, až přijde tvůj čas...

Začínalo mě to zajímat. Až přijde můj čas... Čas čeho? Že mají domorodci svá tajemství jsem moc dobře věděl, ale, po pravdě řečeno, nikdy mě moc nezajímaly. Viděl jsem pár corroborree tanců, kdy většina tanečníků se zmazala okrovými barvami od hlavy k patě a pak poskakovala na místě až do úplného vytržení. Nemohu říci, že by mě to zvlášť nadchlo. Na druhé straně domorodci jsou mistři survivalu - přežití. Jsou sžiti se zemí jako nikdo druhý, kdybych se seznámil s někým, kdo by mně pomohl, jistě bych se něco naučil. Něco, abych se také já tady cítil doma. Uvědomil jsem si, že po tomhle toužím, že se chci stát člověkem země... Země, v které žiji. Dál jsem se v myšlenkách nedostal, přijeli jsme do vesnice. Hned na začátku byl prostý kostel s cedulí Mudgeerabah Mission. Sjel jsem ze silnice až před budovu. Kolem auta se hned seběhl dav dětí. Všechny se usmívaly, brebentily a pokřikovaly na Borka. Všiml jsem si, že některé daly znamení rukou. Také Borek dal znamení. Smál se a odpovídal. A jak odpovídal! Poprvé jsem si uvědomil, že ten kluk umí plynnně tři jazyky. Vykřikoval jistě něco žertovného, děti se smály a Borek vystoupil. Došlo mi, že mě tu nechá.

Borku, vykřikl jsem zoufale, kam jdeš?

Vrátil se k vozu a za ruku přitáhl rozjíveného černého kluka.

Strejdo, řekl, tohle je Tommy, jak jsem ti o něm říkal.

Můj nejlepší kamarád. My si jdeme hrát, ale neboj, než přijede autobus, budu zpátky.

Jakej autobus, co to meleš, chtěl jsem říci, ale Borka pohltil dav. Jednoduše zmizel.

Osaměl jsem a vystoupil z vozu. Co teď? Mám auto zamknout nebo ne? Lidi by si to mohli vysvětlovat všelijak. Nerozhodně jsem si zapálil cigaretu. Na druhé straně silnice začínala vesnice. Z nejbližších stavení mě pozorovali. Pár jich vyšlo na silnici a další se začali připojovat. Hrozně jsem znervózněl. Co teď? Já toho Borka přetrhnu, pomyslel jsem si a rozhodl se ukrýt se v kostele. Před dveřmi jsem pečlivě zašlápl bosou nohou cigaretu a vstoupil.

Bylo tu horko. Přešel jsem ke stojanu se svěcenou vodou a pokřižoval se. Ve dveřích se mihl stín. Tmavá ruka rychle sebrala mou nedokouřenou cigaretu a zmizela. Vyšel jsem ven a pečlivě zamknul auto.

Nejprve se objevil autobus a pak teprve Borek. Přiběhl udýchaný a úplně mokrý. Hrozně se mi ulevilo. Seděl jsem před kostelem a po očku pozoroval dav, který se kolem shromáždil a na oplátku pozoroval mne. Byl jsem nervózní, ale navenek jsem zachovával ledový klid. Nejméně se mi líbil vysoký vyschlý stařec s jizvami na ramenou. Měl rozpláclý nos a hluboce položené oči. Zatímco ostatní si šuškali, po straně na mne ukazovali a vesele se smáli, stařec stál celou dobu nehnutě a vytrvale mě pozoroval.

Kdes byl? zeptal jsem se Borka. Podívej, jak seš mokrej!

My se koupali, odvětil ležérně, cos dělal ty?

Co sem moh dělat? Tys mne opustil a nikoho jinýho tu neznám...

Ty nevíš, jak si udělat přátele?

Něco zabrebentil a v tu ránu se kolem mne shlukl dav dětí. Všechny se usmívaly a podávaly mi ruku. Také pár dospělých se připojilo. Bože můj, já toho kluka přetrhnu, pomyslel jsem si znovu a opět znervózněl.

Strejdo, nevzal bys pár kluků do auta? nebyl mým útrapám konec. Bylo mi jasné, že nemůžu podávat kolem dokola ruku a pak se na všechny vykašlat, ale víc jak deset dětí jsem odmítl vézt.

Kam vlastně jedeme? zeptal jsem se.

Yurrah.

Tak ono se promítá ve škole, řekl jsem.

Ve škole ne, v komunální hale, opravil mě.

To nevadí, trval jsem na svém, pěkně jsi mne podved!

Nepodved, ale kdybych ti to řek, vzal bys mne na misii?

Musel jsem uznat, že nevzal.

Yurrah je místo sotva ve čtvrtině cesty k misii. Stojí tam škola, kam chodí nejen domorodci, ale i děti farmářů z okolí, potom veliká společenská místnost v podobě stodoly, což je komunální hala a požární stanice dobrovolné brigády.

Autobus se rozjel. Počkal jsem, až opadne prach a vycouval na silnici. Kyž jsme míjeli ceduli na kostele, zeptal jsem se anglicky: Co to znamená Mudgeerabah?

Místo, kde se lhalo... odpovědělo jedno z dětí a celý vůz se rozchechtal.

Komunální hala opravdu připomínala stodolu. Neměla stěny, jen na jedné straně, u promítacího plátna, byla stěna z lepenky. Podlaha byla z betonu a seděli na ní diváci. Většinou černí, ale bylo tu i pár farmářů s rodinami a docela vzadu sedělo několik horníků. Přijeli z rudného dolu, který je asi šedesát mil na severu v buši. Jak jsem si všiml, cestou nezaháleli a měli už vypito.

Strejdo, nechceš vidět naši učitelku? vyrušil mě z pozorování Borek.

Ani ne.

Pojď, ona přijela až z Port Douglasu, kluci jí představujou rodiče, žadonil.

Copak jsem tvůj rodič?

Seš můj strejda! Pojď, ráda by tě viděla, lhal.

Neochotně jsem vstal. Přešli jsme halu a zastavili se u hloučku rodičů s dětmi. Bylo už šero a v tu chvíli někdo rozsvítil. Většina to považovala za začátek představení a rozprchla se. Také jsem chtěl odejít, ale Borek mi nedal šanci.

Paní učitelko! zvolal. Tohle je můj strejda, Sam. Sam - Miss Nichols, představil nás.

Učitelka se otočila a dopadlo na ni světlo z haly. Byla hezká. Černé kudrnaté vlasy jí splývaly na ramena a ze snědého obličeje si mne prohlížely tmavé oči. Mohlo jí být nejvýš dvacet.

Těší mne, usmála se, ale původně jsem myslela, že poznám rodiče svého nejlepšího žáka...

Měla oslnivý úsměv. Díval jsem se na ni jak na zjevení.

Sam je pašák, Miss Nichols, já si s ním nejvíc rozumím, řekl Borek.

Běž si hrát! odvětil jsem zoufale a začervenal se.

Borek si mne pátravě prohlédl, jako by chtěl říci, ta tě vzala co, a drze prohlásil: Vždyť jsem ti říkal, že je dobrá...

Teď bylo na učitelce, aby se zarděla, ale zvládla situaci dobře.

Tak běž, řekla tiše, už začnou promítat.

Borek nás neochotně opustil.

Víte, Bori je opravdu nejlepší žák. Můžete říci jeho rodičům, že jsem na něho opravdu pyšná. Jen v domácích pracích je trochu liknavý, ale popravdě řečeno, on to nepotřebuje, je velice bystrý a vše si pamatuje.

Mluvila měkce a bez přízvuku. Hádal jsem na Maorku z Nového Zélandu.

Bystrý je, souhlasil jsem, dnes mě hrozně překvapil, vůbec jsem netušil, že umí domorodý jazyk.

A jak! mávla rukou. A to, prosím, za pouhý rok, a já, která to studuji... nedořekla a znovu mávla rukou.

Proto jste tady?

Také, ale hlavně, abych pomohla našim lidem.

Našim?

Ano, já jsem také domorodka, i když jen po babičce. Tak pozdravujte Boriho rodiče...

To je zajímavé, skočil jsem jí rychle do řeči, já bydlím v Duhovém údolí, kdybyste někdy měla chuť se zastavit, představil bych vám Boriho rodiče a mohli bychom si popovídat.

Mám málo času a neslušelo by se...

Proč ne? Přijďte třeba s přítelkyní, já mám taky kamaráda...

Nejsem tu na námluvách, ale kvůli dětem, zvážněla.

Vsadil jsem vše na jednu kartu: I námluvy jsou o dětech...

Zasmála se. Proč někdy nepřijdete vy k nám? Do školy? Třeba s přítelem, jestli se bojíte...

Kdy chcete, ale mám opravdu málo času, můžu si s vámi povídat prakticky jen po vyučování, při opravě sešitů.

To nevadí, pomůžu vám je opravit, kasal jsem se.

Podala mi ruku. Dal jsem si záležet, abych ji nepodržel ani o chvíli déle, než nutno. Přešla k parkovišti a nasedla do mini-moku. Díval jsem se za ní, jak odjíždí, a pak jsem šel za Borkem.

Strejdo, přivítal mě, že se ti líbila, viď? Mne neoklameš, seš úplně zpocenej...

Líbila, povzdechl jsem si, asi s tebou začnu chodit do školy.

Sam odjel s Borkem na misii, tak můžu jít na poradu, přemýšlel Pavel. Zajímalo ho, proč vlastně Sama nepozvali. Věšák mu výslovně klad na srdce, aby Samovi nic neříkal. Proč si vybral zrovna mne, proč ne jeho? A vůbec, proč by nás takhle dělili, uvažoval. Bylo mu jasné, že za rozhodnutím nebyl Věšák, ale Baba. Věšák je jenom figurka, Babova pravá ruka, jeho zprostředkovatel. Nanejvýš občanský poradce, ale vůdce je Baba Ranujahne sám. Konec konců, o čem se můžeme radit? Jestli zase někdo navrhne, abychom udělali tajnou společnost, tak buď vezmou Sama taky, nebo se jim na to vyfláknu.

Pomalu se oblékl a jeho pohled padl na sandály. Ty sandály, které už jednou zavinily hádku. Same, řekl Pavel nahlas, můžu si půjčit tvoje sandály? Mě totiž pozvali na tajnou poradu, na kterou ty nesmíš, a takhle tam z tebe přece jenom něco bude, co říkáš? A hned si sám odpověděl: Samozřejmě, Pavlíčku, jen si je půjč. Spokojeně se zašklebil a obul do sandálů.

Ten kluk je stejně cvok, pomyslel si. Od té doby, co zjistil, že ho v poledne pálí písek do nohou, chodí jenom bos. Přehání to, ujistil se a vyšel z karavanu.

Porada se konala v Kapličce. Kromě Věšáka s Babou tu byl Philip s Krystýnou a jejich přátelé George s Jo-Anne, Jerry a kluk, který se jmenoval Bell, takže mu všichni říkali Bimbam. K Pavlovu překvapení nechyběla ani Eva. Seděla mezi Harrym a Karlem. Naproti se uvelebil Tony zvaný Mafia. Mafia byl znám jako kriminálník a velká huba. Říkal o sobě, že strávil čtvrtinu života v chládku a momentálně se v Duhovém údolí skrýval. Prý za vraždu policajta. Vylupoval někde v Sydney banku, když dovnitř vstoupil strážník.

To víte, kdy já dostanu na mušku fízla. Tak sem ho bouch a teď sem v hajzlu. Až mě chytěj, budu viset. Zkurvený řemeslo... stěžoval si.

No nazdar, tak i Mafia je tu, pomyslel si Pavel, to je pěkná společnost.

Bratři a sestry, ozval se v tu chvíli Věšák, jak vidím, jsme tu všichni. Možná že se divíte, proč jste byli pozváni tak najednou a právě vy. Přistoupím přímo k věci. Před nedávnem někteří z vás navrhli, abychom utvořili bratrstvo. Baba Ranujahne o tomto návrhu dlouho uvažoval. Dospěl k názoru, že většina z vás jsou lidé Cesty. Cesty, která jako Modrý kruh obepíná svět a spojuje vyvolené. Baba je ochoten vám pomoci.

Jistě víte, že jeho pomoc je nezištná, jeho pomoc je láska, láska a znovu láska. Utvoření bratrstva by bylo výhodné pro náš typ společnosti, to je společnosti uzavřené, kde jeden podporuje druhého a všichni pomáhají slabším. Společnosti, která nám všem nabídne opravdové přátelství, bratrství a bezpečnost. Ano, bezpečnost! Neboť přátelství je jistota. Jistota starostlivých bratří a sester...

Věšák se odmlčel a nabral dech:

Bratři a sestry, je na vás, abyste vše uvážili. Jsou mezi námi silní jedinci, ale i slabší povahy. Někteří kolísají a mnozí žijí v hříchu, ač tedy, řečník se usmál, hřích je slovo diskutabilní a my rozhodně netrváme na jeho výkladu tak, jak by mnohé křesťanské církve rády věřily. My jsme společnost nová, lidé Cesty... Lidé nové Cesty a světlo tápajících... Nicméně, jsou i tací, kterým není pomoci, protože pomoc odmítají. Těch se, bratři a sestry, vystříhejte. Jsou to prázdní lidé, nehodní vašeho snažení a nehodní bratrstva. Lidé s velkou hubou a zlým svědomím...

Jak to myslíš? ozval se Mafia.

Nijak. Nemluvím konkrétně, jen povšechně. Věšák se nadechl, aby pokračoval.

Počkej! Jakýpak povšechně? zrudl Mafia. Podívej, jak na mě všichni čuměj! Myslíš, že sem blbej? Že nevím moc dobře, koho si myslel tím zlým svědomím? Mě nepřechčiješ!

Nemyslel jsem nikoho, povzdechl si Věšák, vztahuješ vše na sebe. Neprávem! My jsme ochotni pomoci i tobě...

Lidem jako já, si chtěl říct, co?

Sedni si! vykřikl někdo. Drž hubu! zvolal druhý.

Co bych držel hubu? nedal se Mafia. Já se tady nenechám pomlouvat! Žádnou pomoc nepotřebuju! ječel.

Najednou se zvedl Baba. Z očí mu sršely blesky a v místnosti se rozhostilo ticho.

Odejdi! řekl.

Taky že pudu, já mám jiný starosti. Vy si tady blbnete a po mně jdou fízlové! Já se na pámbíčkování můžu vysrat...

Odejdi! zařval Baba.

Mafia se ještě jednou rozhlédl, jako by hledal pomoc, ale pomoc nepřicházela. Nervózně polkl a vyběhl ven.

Kdo ho přived? zeptal se Věšák v nastalém tichu.

Netřeba, odmítl otázku Baba, bratři, pomodleme se! Očisťme své mysli od toho nečistého člověka!

Všichni zkřížili nohy a zaujali pozici rozjímání.

Zavřete oči! přikázal Baba. Ze záhybu své dlouhé, bílé róby vytáhl magic wand a rychle přistupoval od jednoho k druhému, dotýkaje se proutkem ramen.

Pavel ucítil nejprve dotek a pak ho zalila horká vlna. Jakoby do něj proudila vlna síly, vesmírné síly. Horkost stejně rychle opadla, ale pocit síly zůstal. Pavel otevřel oči. Baba se vrátil na své místo, ale neusedl. Zůstal stát, nehybný, tmavý a čekal. Když všichni otevřeli oči, proběhl jeho obličejem jas.

Láska, zašeptal. Láska, opakoval.

A pak pomalu opakoval to jediné slovo. Jeho hlas nabíral na síle.

Láska, volal, láska!

Nakonec křičel, ale to už se přidali i ostatní. Nejprve jednotlivci, ale pak už všichni. I Pavel.

Láska, řvali, láska, láska, láska, láska... burácelo Kapličkou.

Zastavil jsem půl míle před školou, vystoupil z auta a usedl pod strom. Zapálil jsem si a zamyšleně pozoroval shluk budov. Bylo by blbé, uvažoval jsem, kdybych se tam objevil před žákama. Nejlepší bude, když počkám, až všichni vypadnou.

Chvíli se nic nedělo a pak vyběhlo pár postav před školu. Následoval shluk, který se okamžitě rozprchl. Někteří přeběhli do výběhu pro koně a za chvíli už cválali všemi směry. To byly děti farmářů. Pak se objevil školní autobus. Jel poměrně rychle a vířil husté kotouče prachu. Až přejede, vyrazím opačným směrem, rozhodl jsem se, ale autobus nepřejel. Zpomalil a pak zastavil. Z okénka se vyklonil řidič: Co je, nějaká porucha?

Ne, nic se nestalo, mávl jsem rukou, děkuji za optání.

Strejdo! ozval se zvnitřku hlas, já věděl, že na mne budeš čekat.

Co, co... koktal jsem, ale než jsem se vzpamatoval, Borek vystoupil a autobus se znovu rozjel.

Tys mi tu chyběl, řekl jsem zoufale, proč jsi vystoupil?

Protože jsem věděl, že čekáš na mne...

Proč bych na tebe čekal?

Mám pro tebe poselství.

Poselství? Pro mne?

Hned mi došlo, že chytrá učitelka vzkázala, abych za ní nechodil. Dost mě to zabolelo a ta bolest mě překvapila. Borek si sedl vedle mne a pohlédl do koruny stromu.

Já mám buwigu rád, prohlásil a vytáhl něco ze školní brašny. To je vod kůrunga, podal mi pár ptačích per.

Buwigu, kůrung, zašeptal jsem zoufale, co to meleš?

Buwigu je strom, řekl udiveně, sedíš pod ním.

Aha, tea tree,* povzdechl jsem si, a co je to kůrung?

Kůrung je přece čaroděj.

Čaroděj?

Čaroděj Toogoolawa people.

Dočista jsem zpitoměl: Kdo jsou Toogoolawa people?

No přece lidi z misie, to je jejich kmenové jméno a kůrung je jejich čaroděj. Pamatuješ, jak jsi mi říkal, že tě pozoroval? Ten hubený, vysoký s jizvama na ramenou? To je von, kůrung.

Aha, odvětil jsem bez zájmu, tak už mi konečně řekni to poselství, co říkala?

Říkala? Kdo?

No přece učitelka!

Učitelka?

Jo, tvoje učitelka, Miss Nichols, ta hezká s kudrlinkama.

Ale kdepak, Same, učitelka nic neříkala, poselství je vod kůrunga.

Vod kůrunga, opakoval jsem nevěřícně, tak vona ti nic neříkala? To je senzace! ulevilo se mi. Vyskočil jsem, papadl Borka i s brašnou a hodil si ho na rameno.

---

* čajovník

Počkej, péra! volal udiveně.

Shýbl jsem se, aniž bych ho pustil, popadl brka a přeběhl k autu. Opatrně jsem ho posadil na sedadlo.

Na, tady máš brka a drž je pevně, mám málo času! Usedl jsem za volant a vyrazil.

Kam jedeme?

Ty jedeš domů.

Zamračil se: Ty péra jsou pro tebe.

Jak víš, že pro mne?

Kůrung mi to řek. Dal mi péra a povídá: Give him Waybul, him in trouble. You tell him not speak!* Čekal na mne před školou, měls vidět, jak kluci vejrali. To víš kůrung, ten mluví jen s muži, a ještě ne se všemi, řekl pyšně.

Waybul - bílý muž, to může být kdokoliv, namítl jsem.

Ne, já vím, že mínil tebe, věděl, že budeš čekat před školou.

Jak to mohl vědět?

Kůrung ví věcí... usmál se.

Odvezl jsem ho až k bráně Duhového údolí. Zbytek dojdeš, navrhl jsem, já hrozně pospíchám.

Já vím, odpověděl, za Miss Nichols.

Zahrozil jsem mu a otočil auto. Kdoví, jestli nejedu pozdě, třeba tam už nebude, strachoval jsem se. Ale byla tam. Seděla ve třídě a opravovala úlohy.

Už jsem si myslela, že nepřijdete, řekla na uvítanou.

Jsem rád, že jste na mne čekala.

Začervenala se a ukázala na hromadu sešitů: Kdo by odmítl pomoc?

Opravoval jsem matematiku, ale moc mi nevěřila a nechala mě dělat pouze první až třetí třídu. Něco mezi 1+1 a 6x32. Šlo mi to hravě. Mezitím jsme si povídali.

---

* Dej bílému muži, on potíže, ty řekni, on mlčet.

Já jí řekl, odkud jsem, a ona mi vyprávěla o sobě. Byla sirotek a vychovala ji babička. Po první várce sešitů jsme si začali tykat. Jmenovala se Marie. Řekl jsem jí, co se mi přihodilo s Borkem a jak kůrung prorokoval, že na něj budu čekat. Jenže já čekal na tebe, až všichni vypadnou, zasmál jsem se.

Ukaž mi ty péra, požádala.

Chvíli jsme si je prohlíželi. Péra byla jistě z ocasu nějakého papouška. Navrchu tmavá, až černá, přecházející na okrajích do zelena a zespoda byla péra krásně žlutá.

To je zajímavé, prohlásila, nic podobného jsem v okolí neviděla, a že zdejší faunu dobře znám. Půjč mi je, zítra se podívám do katalogu.

Přikývl jsem: Víš, co je nejzajímavější? To poselství... a opakoval jsem je. Přísně se na mne podívala.

A proč mi to říkáš? V poselství je jasně řečeno, abys mlčel!

Nikomu jsem nic neslíbil a nechci mít žádná tajemství... před tebou.

Nejde o tajemství, změkla, ale o čest. Pochop, že kůrung není u domorodců jen tak někdo a když ti něco vzkáže, je to čest. Čest pro tebe. Měl bys dodržovat mravy kraje.

Měl, uznal jsem, ale stejně tomu poselství nerozumím.

Nechtěla už o tom mluvit. Když jsme skončili opravy, zeptal jsem se, co chce dělat. Pohlédla na hodinky. Za hodinu bude v hale přednáška otce Davida. Dělá kněze na misii a dnes bude mluvit o alkoholismu. Alkoholismus je tu veliký problém, řekla smutně, věřil bys, že pijou i děti? Jestli chceš, můžeme si ho poslechnout.

Normálně bych přednášku o alkoholismu považoval za ztrátu času, ale tentokrát jsem si neuměl představit, že bych vynechal. Seděli jsme v poslední řadě a pozorovali otce Davida. Byl to starý unavený muž s obličejem v barvě červené cihly. Pochybuji, že od alkoholu, byl silně proti. Mluvil bez zápalu, ale důsledně. Posluchačstvo bylo černé. Bílí na podobné přednášky nechodí. Na rozdíl od svých černých bratrů mají staleté zkušenosti v pití a dovedou v tom chodit. Ale i černí mají své zkušenosti, a tou největší je nevěřit bílému muži, ať mluví o čem chce, ale především o tom, co by černí neměli dělat. A tak se v publiku pilo.

Alkohol je metla! bouřil otec David. Podívejte se, co vám to udělá s játrama: Otočil se k tabuli a pověsil na ni obraz z anatomie. Řady posluchačů se zavlnily. K ústům vylétly láhve a plechovky s pivem a po napití podali pijáci láhve sousedům.

To není všechno, hřímal kněz, alkohol ohrožuje i potomky. Podívejte se, jak zdeformované děti se rodí pijákům! A znovu se otočil, aby rozprostřel nový obraz hrůzy. Opět byly láhve přiloženy k ústům a podány dál. I dětem...

Dál už jsem neposlouchal a pohlédl na Marii. Kučeravé vlasy jí spadaly do čela a tvořily aureolu proti hvězdné obloze severu. Měla krásný profil. Z dálky zazněl opožděný hlas Willi Wagtail - ptáka lásky. Je to malý černobílý ptáček s nezastavitelnou vyřídilkou. Domorodci věří, že odhaluje milence, aby na ně pověděl celému světu. Zvláště, jsou-li na špatné straně lásky... Bílí ho považují jen za žvanila.

Považoval jsem hlas Williho Wagtaila za dobré znamení. Pane Bože, začal jsem se modlit, já tuhle holčičku miluju. Jestli mi ji dáš, přísahám, že tě nezklamu... Ještě chvíli jsem prosil a pak jsem ji vzal za ruku. Neodtáhla se. Pomalu ke mně obrátila hlavu. Naklonil jsem se a zašeptal : Marie, já tě miluju...

Něžně jsem ji políbil na rty. Trochu se odtáhla a v očích se jí zaleskly slzy.

Same, řekla, don't take an advangage of me, please...*

Srdce mi prudce zabušilo a nejraději bych křičel. Zvedl jsem jí ruku a políbil prsty.

Přísahám, řekl jsem, jako že je Bůh nade mnou.

A vyslanec boží, pták lásky, znovu zakřičel. U tabule hřímal boží muž proti neřestem světa, za jeho zády pili věřící a docela vzadu se líbali novomilenci.

Největším problémem Bratrstva kruhu byly peníze. Nebyly. Dokud se bratři a sestry scházeli ke společným meditacím a modlitbám, nebylo to tolik cítit, ale jak mladá společnost nabývala na síle a chuti k životu, stále víc bylo znát, že nedostatek peněz sráží rozlet. Baba s Věšákem vypracovali plán a svolali valnou hromadu, která plán s nadšením schválila. Na té schůzi jsem byl, ač jsem se jinak držel trochu stranou. Měl jsem málo času a pořád jezdil za Marií. Plán se mi moc nezamlouval. Jeho podstata spočívala v tom, že mezi členy už nebylo možno více vybrat a bylo nutné získávat peníze zvenčí. Baba si to představoval tak, že budeme pěstovat ovoce a zeleninu, vyrábět suvenýry a na to vše lákat turisty z Port Douglasu. Nedovedl jsem si představit, že by k nám někdo zavítal, natož si přijel něco koupit, ale v tom jsem se velice zmýlil. Začalo to nevinně. Nejprve se pokácel hájek za Kapličkou, koupily superfosfáty a vytvořila veliká zeleninová zahrada. Pak se Věšák vypravil do města a uveřejnil pár inzerátů. Neinzeroval ovoce, ale Babu. Babu Ranujahne, svatého muže s magickým dotekem. Přijelo pár lidí a Věšák s nimi provedl rychlokurs meditace. Vyvrcholením byl Baba. Přišel, vytáhl svůj magický proutek, obešel řady meditujících a dotkl se každého

* Prosím tě, nevyužij mne...

na rameni. Všichni pocítili horkou vlnu a nevycházeli z úžasu. Brzo se to rozkřiklo.

Zpočátku bylo vše zadarmo, ale pak se koupilo ovoce, naše zahrada byla příliš mladá, aby něco nesla, a povinností každého návštěvníka bylo Babu obdarovat. Kdo si nekoupil aspoň pomeranč za padesát centů, nebyl do Kapličky vpuštěn. Uvnitř pak všichni odevzdali dar do proutěného koše u Babových nohou. Když se koš naplnil, vynesli jej Karl s Harrym ven a odevzdali Georgovi a Jo-Anne, kteří ovoce prodávali.

Nevěřil jsem svým očím. Vždyť pytel pomerančů stál v Port Douglasu dolar. Pochopitelně, našli se chytráci, kteří si přivezli pomeranče z města, ale ti nebyli dovnitř vpuštěni. O to se staral Bimbam, který stál u vchodu. Oholená hlava, vysoký, svalnatý, v bílém hábitu, budil respekt.

Později začal Philip vyrábět zboží z kůže. Přívěsky na klíče, záložky do knih, a u Kapličky vyrostl stan, kde Krystýna suvenýry prodávala. Pak vyrostl druhý, mléčný bar, a ve třetím začala prodávat knihy Eva. Měla alternative style books. Orientální učení, organické pěstování rostlin a tak.

Musel jsem uznat, že jsem se zmýlil. Plán vyšel. A jak! Byl to ekonomický zázrak Duhového údolí. Všichni jsme byli nadšeni, jen jeden nebyl. Jůžin. A přitom si neměl nač stěžovat. Eva zapomněla na job ve městě, na auto, ba ani jí už nevadilo, že Borek chodí do školy plné domorodců. Žila plně pro bratrstvo Modrého kruhu a pilně se účastnila všech akcí. V sobotu se oblékala do průhledného sárí bez podprsenky a důstojně odcházela prodávat knihy do svého stanu. Slušelo jí to a myslím, že o tom věděla. A konec konců, kdo by jí to mohl mít za zlé? Měla konečně pro co žít, ne jen pro rodinu, a práce ji bavila. Snad jí dávala i pocit určité samostatnosti, slušně si přivydělala.

V neděli ráno jsem se přichystal na výpravu. Marie byla už od pátku u babičky v Brisbane, a tak jsem se rozhodl prozkoumat podvodní tunel v Jalboi creeku. Ostatně, byl nejvyšší čas. Mokrá sezóna měla ten rok zpoždění a až vypukne, potok se rozvodní, zakalí a aspoň měsíc se k tunelu nedostanu.

Vypravil jsem se nalehko. S nožem a bos. Ten nůž jsem měl pro jistotu. Co když Jůžin nekecal, co když opravdu narazím na krokodýla? Pro jistotu jsem také ohledal břeh, ale stopy po skluzech tu nebyly. Trochu mě to uklidnilo. Přeplaval jsem potok, vzal nůž do zubů a potopil se. Tunel tam byl i se světlem na konci, ale zdál se mi užší než poprvé. Kdybych nepodplaval skálu na jeden zátah, těžko bych se obracel. Znovu jsem se potopil a odhadl vzdálenost. Mohlo to být pět až osm metrů, rozhodně ne více než osm. To bych měl dokázat, usoudil jsem. Zhluboka jsem se nadechl a zaplaval pod skálu. Šlo to dobře, ale pomalu. Nemohl jsem pořádně zabírat rukama. V polovině se zvedlo dno a pak už to šlo rychleji. Přitahoval jsem se rukama za písek na dně, několikrát jsem se dotkl zády stropu, ale neodřelo mě to. Za chvíli jsem vyplaval na hladinu. Byla zde malá laguna pod převislou stěnou, obklopená ze všech stran skalami, jen přímo naproti mně byly stromy a břeh. Padl na mne strach. Neznal jsem to tu a ve vzduchu viselo mrtvé ticho. Přemohl jsem nutkání vrátit se. Rychle jsem plaval ke stromům a vylezl na břeh. Skalnatá půda se zvedala příkře vzhůru. Cesta tu nebyla, ale porost byl řídký a lezlo se mi dobře. Nahoře byla plošinka, která ústila do kaňonu. Stály tu vysoké stromy, ale nízký podrost chyběl. Zřejmě nemá dost světla, řekl jsem si, ale zem byla podivně vymletá, jako bych stál na dně vyschlého potoka. No jasně, potok, došlo mi. Když začne mokrá sezóna, musí se tu voda pěkně valit. Dolů do laguny. Proto také Jalboi tolik vře pod převislou skalou na naší straně. Někde výš tu musí být potok. Rozhodl jsem se, že ho najdu. Nebylo to jednoduché, šel jsem dobré dvě hodiny a potok nikde. Kaňon se podstatně rozšířil a stromy prořídly. Také boulderů* přibylo, co chvíli jsem je musel obcházet, bylo to dost namáhavé.

A pak najednou kaňon skončil. Skalnaté stěny se rozestoupily, jedna se táhla na sever a druhá na jih. Přede mnou se rozprostírala náhorní pláň plná žluté spinifexové trávy, bez stromů.

To bude začátek Ickermanovy pouště, napadlo mě. Nerozhodně jsem se zastavil. Slunce stálo přímo nade mnou a bylo nesnesitelné horko. Nervózně jsem si olízl rty. Byly suché. Dostal jsem ukrutnou žízeň. Přece tu někde musí být voda! Nerozhodně jsem popošel do pláně a znovu se zastavil.

V tu chvíli se mi u nohou zvedlo hejno papoušků. Polekali jsme se všichni. Já i papoušci. Mohlo jich být nejvýše šestnáct, ale jak se vyplašeně zvedli, úplně mě zmátli. Začal jsem kolem sebe vystrašeně bít rukama. Náhodou jsem jednoho srazil. Papoušci odletěli, ale mně se ještě chvíli třásla kolena vzrušením. Vše se znovu ztišilo, jen na zemi ležel krásný pták. Nebyl mrtvý, oči měl do široka otevřené a prudce oddechoval. Poklekl jsem a pokusil se ho zvednout. Opět mě vylekal. Zamával prudce křídly, ale jen sebou bezmocně tloukl. Opatrně jsem ho zvedl. Srdce mu divoce bylo, ale jinak se choval vzorně, ani se mě nepokusil klovnout.

Byl převážně zelený, se žlutým hrdlem a kropenatou hrudí na níž se mísily zelená, žlutá a tmavohnědá. I záda

---

* balvany

a křídla měl kropenaté, ale už ne tak jasně a hustě jako hruď. Brka na ocase i na koncích křídel byla tmavá a zespodu žlutá. Vždyť to jsou ta pera co mi poslal kůrung, uvědomil jsem si úžasle, a najednou mě napadlo, jak mohl kůrung vědět, že najdu údolí?

Pták sebou znovu zatřepal. Tentokrát mě klovl do hřbetu ruky. Projela mnou ostrá bolest a okamžitě mi začala téci krev. Málem jsem ho pustil. Uklidni se, řekl jsem, já ti nic neudělám. Pomalu jsem papouška položil a přitiskl jednou rukou k zemi. Druhou jsem si sundal košili a pomocí zubů udělal na konci uzel. Opatrně jsem ptáka uložil do košile. Vezmu tě s sebou, rozhodl jsem, a doma se na tebe pořádně podívám. Jestli ti nic nebude a budeš hodnej, tak tě zase pustím. Kdybys ovšem kloval a vůbec se choval nepříčetně, tak tě šoupnu do klece a spadla klec, rozuměls? Pták neodpověděl. Považoval jsem to za souhlas, utřel si krev a vykročil na cestu zpátky.

Moc mi to nešlo. Košile byla těžká, co chvíli jsem si náklad musel přendat z ruky do ruky a opět mě přepadla žízeň. Bylo úžasné vedro. Pot mi tekl po zádech i do očí a šlo se mi velice těžce. Pak přišel záchvat. Cítil jsem, jak mi prchá krev z hlavy a slábnou nohy. Dovlekl jsem se do stínu prvního stromu, poklekl a zabořil hlavu mezi kolena, abych neomdlel. Srdce mi bušilo až v krku, ale košili jsem nepustil. Krev pomalu začala proudit do hlavy a udělalo se mi lépe. Mátožně jsem se svalil na záda, ležel a odpočíval.

Musím najít vodu, blesklo mi hlavou. Jestli nenajdu vodu, chcípnu tady jako pes. Že já, blbec, si hraju na domorodce! Nejseš na to stavěnej, vole, nadával jsem si. Otevřel jsem oči. Vysoko na nebi kroužili card-hawkové*.

---

* jestřábi - odstraňovači zdechlin

Pane Bože, já tady opravdu chcípnu, polekal jsem se. Rychle jsem vstal a vydal se na pochod. Šel jsem pomalu, se skloněnou hlavou a šetřil síly. Pod jazyk jsem si vložil malý oblázek a cucal ho jako bonbón. Je to starý domorodý trik, jak zahnat žízeň. Naučil jsem se to od Borka. Borek, povzdechl jsem si, kdyby tu byl Borek! Ten by jistě nalezl vodu... Opět se mi udělalo špatně. Tentokrát byl záchvat silnější. Vše najednou zešedlo a v hlavě mi začalo hučet. Na chvíli jsem ztratil sluch. Poklekl jsem, položil hlavu čelem na zem a odpočíval. Dlouho a trpělivě jsem odpočíval. Nejsem na tuhle zemi stavěnej, pomyslel jsem si. Snažím se, ale nejde to. Jsem tu cizí element, neschopný cestovat pár hodin bušem bez vody. Líbí se mi tu, ale líbení není domov. Nikdy tu nebudu doma. Bez civilizace, bez všech těch maličkostí jako je lednice, auto, moskytiéra, bez těch maličkostí, kterých si už ani nevšímáme, jako konzervy, postel, ba i peníze, bych dávno umřel i v takových místech, jako Duhové údolí. A přitom to není tak dávno, co jsme všichni, všichni na této planetě byli jejími opravdovými dětmi. Pár set let rozvoje, a všechno je pryč. Úplně jsme se odcizili, už jí, matce Zemi, nepatříme, už patříme jen svým vymoženostem. Jednou nás za to stihne trest, tak jako teď stíhá mne.

A co jsi čekal, ozval se můj vnitřní hlas, můj věčný odpůrce. Že to bude lehké? Že začneš běhat bos a všechno půjde jak po másle? Navrátíš se do lůna přírody? Ha, ha, smál se ten hlas. Co jsi pro to za svých pětadvacet let udělal?

Musel jsem uznat, že nic. Hodně jsem doma trampoval, ale viděno zpětně, moc to neznamenalo. Naučil jsem se tam dobře pít a kouřit, ale pochybuji, že jsem se dokázal přiblížit přírodě, i když pokus to byl. Tohle, pokračoval hlas, tohle je jenom malá zkouška. A tys ji nesložil. Zabalils to hned na začátku.

Nezabalil, odporoval jsem, pravda, jsem ještě slaboch, ale nevzdám se! Musím to dokázat.

Cítil jsem, jak po mně lezou mouchy. Nejvíce jich bylo na ruce se zaschlou krví. Mohly jich být stovky. To je taky součást, napadlo mě. Austrálie je mouchami zasypaná, myslel jsem si, že prokletá, ale i to je jen nezvyklá součást mého nového domova. Lezly po mně, lehtalo to, ale nebylo to nepříjemné. Sebral jsem všechny síly a zvedl hlavu.

Přede mnou stál kůrung. Stál na jedné noze s bumerangem za pasem a opíral se o oštěp. Z přivřených víček mě chladně pozoroval. Protřel jsem si oči, ale nezmizel. Bez hnutí stál a zíral. Pak dal znamení. Rukou. Opětoval jsem je a chraplavě zašeptal - vodu -.

Ukázal ke skalní stěně: Znamení vody, tam.

Nic jsem neviděl.

Tam, opakoval.

Teprve teď jsem je zahlédl. Uprostřed skalní stěny byla plošina a na ní bylo z kamenů vybudováno znamení. Jako malý pomníček.

Namáhavě jsem vstal. Kůrung přiskočil a vzal mi košili s papouškem. Podíval se dovnitř, pochvalně mlaskl a vykročil ke stěně. Klopýtal jsem za ním. U skály, přímo pod pomníčkem, se zastavil a odvalil kámen. Dvě stopy pod povrchem byla voda. Málem jsem ho porazil, jak jsem se dral k díře. Zarazil mě a odněkud vytáhl dutý rákos. Vytrhl jsem mu jej z ruky, nedočkavě zabořil do díry a sál. Ta lahoda! Cítil jsem, jak s každým douškem do mne proudí síla. Pil jsem rychle a dlouho, až jsem ztratil dech a musel na chvíli přestat.

Nedobře, pokáral mě kůrung, ty ho přinést, voda, ven.

Pochopil jsem, že se pobliju. Za chvíli mě chytly křeče a skutečně jsem zvracel.

Ty pít málo, čekat, pít málo, čekat, radil kouzelník.

Poslechl jsem. Pil jsem pomalu a v přestávkách. Při jednom takovém pití jsem uviděl oči. Seděly v díře a hleděly na mne. Trhl jsem sebou. Jirabay* řekl kůrung, on dobrý, hlídat voda. Když ty žízeň, ty hledat Jirabay, ty najít, ty bez žízně.

Přikývl jsem vrátil rákos a sáhl po košili s papouškem, ale černoch ucukl.

Dar prohlásil drze.

Nedar, odpověděl jsem, chci si ho doma prohlédnout a zjistit, co je zač. Dám ti nůž, navrhl jsem a podal mu ho.

Chvíli váhal, ale nakonec sáhl po noži.

On, pták, trouble pro tebe, ty nebrat, radil.

Chci ho jen na den, pak ho pustím, bránil jsem kořist.

Pokrčil rameny, ale chtěl, abych mu slíbil, že nikomu o kaňonu neřeknu. Myslel to vážně.

Ty dobrý waybul, ty neříct. Ty říct, ty nedobrý, ty umřít, vyhrožoval.

Slíbil jsem, že tajemství nevyzradím, ale zajímalo mě, jak by dokázal, abych umřel.

Magic, prohlásil, ty nezkoušet.

Vstal a palcem u nohy nakreslil v písku čáru. Táhla se mezi mnou a jím od východu k západu a rozdělovala nás. Věděl jsem, co to znamená. Nesměl jsem ji překročit. Také jsem vstal a sebral košili s papouškem.

Ty jít tam, ukázal bradou, tvoje hezká maral** čekat.

Nedovedl jsem si představit, že by Marie už byla zpátky. Konec konců, jak by to věděl, ale neodolal jsem pokušení a pohlédl naznačeným směrem. Když jsem se otočil, kouzelník tu nebyl. Prostě zmizel. Vydechl jsem úža-

---

* Domorodý druh ještěrky. Angl. gecko lizard
** Maral - v řeči domorodců dívka

sem a rozhlédl se. Nebylo, kde se schovat. Nechápal jsem, jak to udělal.

Ty jít, řekl hlas za mými zády.

Otočil jsem se, ale nikdo za mnou nestál.

Ty jít, ozvalo se z druhé strany.

Ještě nekolikrát mě vybídl, pokaždé z jiné strany. Točil jsem se jako čamrda, ale nezahlédl jsem ho. Šel jsem, ale nešlo mi na rozum, jak to udělal a kde se skrýval.

Cestou jsem našel dvě znamení vody. Vždy to byl pomníček z kamenů ve stěně kaňonu. Pod ním kámen, pod kamenem hlídač jirabay a voda. Pokaždé jsem se napil a prohlédl si ještěrku. Byla bílá, téměř průsvitná, s velikýma očima, které mě důvěrně pozorovaly.

Všude plno vody, pomyslel jsem si, a já blbec, bych tady chcípnul. Zalil mě lehký pocit uspokojení a zdálo se mi, že už nejsem takový cizinec, jako ještě před chvílí.

Když jsem dorazil k laguně, bylo mi už docela dobře. Tunelem jsem proplul lehce, jen papouškovi se to nelíbilo, ale košile utvořila vzduchovou bublinu, kromě namočení se mu nic nestalo. Domů jsem dorazil skoro v povznešené náladě, jen Marií jsem si nebyl jist. Pořád jsem ji k nám do Duhového údolí zval, ale nemohl ji dostat na návštěvu a pochyboval jsem, že by přijela jen tak, sama od sebe.

V tom jsem se nemýlil, Marie mě v kampu neočekávala. Tak přece jen kůrungovi něco nevyšlo. Skoro se mi ulevilo.

Čekala jsem tě na letišti, řekla vyčítavě, slíbils, že mi přijdeš naproti.

Seděli jsme před školou a rozpačitě hovořili. Nevěděl jsem, jak jí to vysvětlit. Jednak jsem si nebyl jist, co všechno jí můžu říci a přitom mlčet, jak po mně chtěl kůrung, a lhát jsem nechtěl. Ostatně i kdybych jí řekl všechno, věřila by mně? Celá historka byla tak divoká, neuvěřitelná, že ani já, jsem si nebyl jist, zda se mi něco nezdálo. Pravda byla, že jsem v tom zmatku s papouškem docela zapomněl na letiště. Když jsem si večer vzpomněl, bylo už pozdě.

Co babička? zeptal jsem se nesměle.

Babička je v pořádku, trochu zestárla. Vlastně hodně zestárla, povzdechla si.

To znám, holedbal jsem se, jak někoho potkáš po dlouhém čase, uvědomíš si změnu. Dokud jsou lidi pořád spolu, ani jim to nepřijde... Bože, já kecám, pomyslel jsem si, a ta holka mi to nežere. A dobře mi tak! Marie mlčela. Její hluboké mandlové oči na mne hleděly vyčítavě. Rozhodl jsem se, že jí všechno řeknu, ale předešla mě.

Same, řekla, nemohla jsem včera spát. Měla jsem strach...

Strach? Proč?

Sklopila oči: Myslela jsem... napadlo mě, že už mne nechceš vidět.

Zalila mě vlna horkosti, asi tak, jako když mě Baba učil meditovat. Ona mě má ráda, jásalo to ve mně, a já blbec... Vzal jsem ji za ruku a přitáhl k sobě. Položila mi hlavu na rameno a rozplakala se. Nebyl to vzlykot, jen jí kanuly slzy po tváři. Něžně jsem ji políbil.

Babička říkala, vyrazila ze sebe, že si muže neudržím, když ho budu pořád držet od těla, a abych se nebála...

Zlatá babička! zajásal jsem.

Ty rošťáku, usmála se v slzách, proč jsi mi nepřišel naproti? Plánovala jsem, že tě vezmu k sobě... kde jsi byl?

To je tajemství, odpověděl jsem, ale tobě ho řeknu.

A skutečně jsem jí je řekl, ale vynechal jsem, jak jsem se do údolí dostal. Konec konců, kůrung na mně chtěl, abych nikomu neřekl, kde údolí je. Připadalo mi, že jsem slib šikovně dodržel. Ne tak Marii.

Neměl jsi mi to říkat, prohlásila, slíbils...

Slíbil jsem, že neřeknu, kde údolí je. Víš to?

Nevím, musela uznat, ale...

Žádný ale, slib jsem dodržel! Ostatně, kdybych ti řekl, že to je tajemství, co by sis myslela, že jsem dělal?

Nic. Věřila bych ti. Nejzajímavější je ten papoušek, ráda bych ho viděla.

Rychle jsem vstal. Tak pojď, ukážu ti ho.

Kde je?

V Duhovém údolí...

Zaváhala.

Přivázal jsem ho za nohu ke karavanu, ale nechce žrát, zítra ho budu muset pustit. Jestli ho chceš vidět... nedořekl jsem.

Nerozhodně přikývla. Chci, ale...

Tak pojď, řekl jsem prosebně, víš, co říkala babička...

Pavel se zachoval skvěle. Okamžitě odhadl situaci a vyklidil pole.

Musím už jít, prohlásil, čekají na mne s večeří.

Hned jsem nepochopil a tupě se zeptal: Kdo?

Jůžin s Evou, pozvali mě, zamrkal.

Jo tak, došlo mi, pozdravuj je.

Když odešel, ukázal jsem Marii nejprve karavan. Moc se jí nelíbil. Všude se povalovaly knihy, noviny, prádlo a bylo zkrátka vidět, že jsme neočekávali návštěvu. Zato okolí karavanu se jí líbilo. Sprcha, visící na laně přes větev a diskrétně obehnaná hrubou pytlovinou. A nejvíce ze všeho ohniště s kládami kolem na sezení i neumělá pec z cihel, na které jsme pekli.

Nemáte to tu špatné, uznala, a kdybyste vevnitř občas uklidili, dalo by se tomu říkat domov.

Potřebuje to ženskou ruku, nadhodil jsem nesměle. Pavel se příští týden stěhuje a já na všechno nestačím.

Kde máš papouška? zamlouvala to, ale nemínil jsem se vzdát.

Měla bys to blíž do školy.

To nejde, zarděla se. Tak kde je?

Neochotně jsem přistoupil ke karavanu a poklekl. Papouška jsem přivázal řetízkem ke kolu. Ten řetízek jsem ukradl z toalety v práci, neboť jsem měl vážné obavy, že provázek by pták překloval. Zatáhl jsem za řetízek, tak jako jsme za něj mnohokrát tahali v práci, ale tentokrát vodorovně, a vytáhl jsem papouška na světlo.

Ten je krásný, vydechla Marie, v životě jsem tak pěkného parrota neviděla. Čím ho krmíš?

Nechce žrát. Dal jsem mu chleba, zkusil jsem i maso, ale ničeho se... čemu se směješ?

Maso?

Proč ne? Myslel jsem, že to je třeba nějakej masožravej parrot.

Parroti nejsou masožravci, to bys měl vědět, zkus třeba ovoce.

Ovoce, zamumlal jsem, to mě nenapadlo.

Počkej, mám s sebou Coyleysův atlas ptáků, podívám se, co to je za druh a řeknu ti, co žere.

Odběhla k autu a za chvíli se vrátila s malou šedivou knížkou. Chvíli v ní listovala.

Same, zeptala se, má ten tvůj papoušek trochu červeně nad zobákem?

Nemá, je jen zelenožlutej.

Nervózně přisedla k ptákovi a zkoumavě ho porovnávala s předlohou v knize. Chlapče, řekla po chvíli, víš, co jsi objevil?

Zavrtěl jsem hlavou.

To je Night parrot,* tenhle pták už nebyl spatřen asi šedesát let.

Co žere?

Semena spinifexové trávy, ale to není důležité. Pochop, že jsi objevil druh, o kterém se myslelo, že vyhynul. To je objev dekády, musíš to nahlásit.

Kdybych to nahlásil, budou na mně chtít, abych jim řek, kde jsem ho našel...

Zmlkla a zaraženě se na mne podívala.

Na to jsem nepomyslela, ale nahlásit bys to měl.

Budu o tom přemýšlet, slíbil jsem, zítra natrhám nějaký spinifex a pak se uvidí. Kdyby nežral, budu ho muset pustit. Pojď, postavím na čaj a popovídáme si o tom.

Rozdělal jsem oheň a doprostřed postavil kotlík s vodou. Rychle se stmívalo. Marie odešla do karavanu a než přinesla čaj a hrníčky, padla na krajinu tma. Mám tenhle okamžik rád. Na chvíli ustane shon buše, je ticho vzduch se ochladí a země odpočívá. Pět, deset minut se nic neděje, jako by bylo příměří všech se všemi. Je to krásná chvíle a zmizí stejně rychle, jako začala. Někde zahaleká sova boobook, ozve se křik vyplašeného ptáka nebo se nad hlavou neslyšně mihne stín flying foxe**. Končí to tím, že vás bodne moskyt. Přidal jsem do ohně dřevo a Marie připravila čaj. Seděli jsme na kládě a mlčky srkali. Bylo to nepohodlné.

Přinesu deku, navrhl jsem.

Ne, odmítla, budu už muset jít, je pozdě.

Nikam nechoď, polekal jsem se, budu hned zpátky.

Vstoupil jsem do karavanu a rozsvítil. Vůbec jsem to tu nepoznal. Karavan byl uklizený, ba i postele byly

---

* Night parrot - noční papoušek, dosl. papoušek noci
** Flying fox dosl. létající liška, veliký netopýr

ustlány. Musela to udělat, když odešla pro čaj. Strhl jsem deku ze své postele a rychle se vrátil. Přehodili jsme konec pokrývky přes kládu a uvelebili se. Bylo to mnohem pohodlnější. Napůl jsme seděli a napůl leželi, opíraje se o kládu a pozorovali hvězdné nebe.

Děkuju, zahučel jsem.

Za co?

Za karavan.

Mávla rukou a pohlédla na mne: Myslela jsem, že jsi pořádnější.

Kdyby ses sem nastěhovala, dával bych si větší pozor.

To nejde, prohlásila.

Vzal jsem ji za ruku a pevně objal.

Marie, řekl jsem chraplavě, chci si tě vzít.

Mlčela.

Mám tě rád. Věděl jsem, že tě chci, hned ten první večer, kdy jsem tě spatřil.

Mlčela.

Baba mi jednou vyprávěl takovou indickou pověst. Na počátku, když Bůh dělal lidi, tvořil jednoho člověka vždy z muže a ženy. Ti dva byli jako jeden člověk, chápeš? Když pak lidé Boha podvedli, za trest je pomíchal. Od té doby každý hledá svou ztracenou půlku, svoji druhou tvář i osobnost, a prý nebude na světě klid, dokud se všichni nenajdou.

To je moc hezká pověst, zašeptala, jak víš, že právě já jsem ta tvoje ztracená...

Věděl jsem to hned, jak jsem tě uviděl. Najednou mě zaplavilo poznání, že ty jsi ta žena, o které jsem vždycky snil, kterou jsem si vždycky představoval. Už jako kluk.

Mlčky se ke mně přitiskla. Nevím, zašeptala, nevím, kdy jsem se do tebe zamilovala.

Hrozně se mi ulevilo a teprve teď jsem si uvědomil, jak mě žerou moskyti.

Pojď dovnitř, navrhl jsem.

Nechtělo se jí.

Bojíš se mne?

Ne, usmála se, trochu...

Marie, řekl jsem užasle, ty mně pořád nevěříš.

Bojím se, že ti věřím až moc. Sama se divím, proč ti tolik věřím.

Najednou jsem pochopil a bylo mně jí líto. Neměla to se mnou lehké, ale byl jsem si jist, že vím, co dělám, a že dělám dobře. Věděl jsem, že ji nikdy nesmím zklamat, a ta jistota, že nezklamu, že ji miluju, mě celého zalévala. Vstal jsem a pomohl jí na nohy.

Co chceš dělat? zakoktala.

Chci si tě vzít. Tady, pod hvězdami.

A pak jsem udělal obřad. Takový malý obřad pod hvězdami a před Bohem. Také willy wagtail, který si činí nárok na vyzrazování milenců, tu byl, ale tentokrát jsem si byl jist, že nezpívá o špatné straně lásky.

Pavel našel Jůžina samotného. Seděl u ohně před domem a tupě zíral do plamenů. V ruce měl láhev a z koutku úst mu visela cigareta. Bylo vidět, že se Jůžinovi zase jednou zúžil svět.

Těbůh, co děláš? řekl Pavel na uvítanou.

Chlastám, co mi taky zbývá, když se mi žena kurví.

Co to meleš za nesmysly?

To mi taky říká. Že melu nesmysly. Ale já nejsem blbej, víš? Mně nebude nikdo věšet bulíky na nos. Já vím moc dobře, že se mi kurví s tím černým hajzlem z Kapličky, ale až je chytnu, tak mu uřežu kule.

To nemyslíš vážně...

No, možná, že mu je neuřežu, ale že si už nezašuká, na to můžeš vzít jed!

Kecáš blbosti, řekl Pavel, Eva je dobrá holka. Ta by ti to neudělala, není jako ty, už kvůli Borkovi by to neudělala, je to dobrá máma.

Máma? povzdychl si Jůžin. Na všechno sere! Vzpomínáš, jak jí vadilo, že kluk chodí do domorodý školy? Tak už jí to nevadí. Nejdůležitější prý je cesta k Bohu. Tahá kluka všude s sebou. Na meditace, na modlitby...

Tady to máš! zvolal Pavel. Tak ona chodí na meditace a ty hned, že ti zanáší!

Já vím svoje! Starýho kohouta nebudeš učit kokrhat!

Počkej, uvažuj trochu! Kdyby ti chtěla být nevěrná, bude s sebou všude tahat kluka, aby na ni dohlížel?

No jo, jenže mně se zdá... přece nejsem úplně blbej?

Nejsi, potvrdil Pavel, jenom tak vypadáš. Dej mi něčeho napít!

Jůžin mu podal láhev a zamyšleně pohlédl do plamenů.

Tobě se to řekne, odvětil po chvíli, tak proč už se mnou nechce spát? Věřil bys, že sem už tři neděle nešukal? Pořád má nějaký výmluvy. Je unavená, připravuje se na meditaci nebo mi řekne, že jsem vožralej a páchne ze mne alkohol...

To z tebe páchne, potvrdil host, na, spláchni to!

Jůžin se zhluboka napil.

Já za to ale fakt nemůžu. Pravda, někdy chlastám z trucu, ale dneska to byla smůla. Ráno jsem se rozhod, že ji překvapím. Voholil jsem se, vohák a vyrazil do města. Koupil jsem kytky, nějakej plonk* a maso na bar-backque.** Řezník mi to zabalil do ledu, aby to vydrželo, a už jsem frčel k rodině. Jenže cestou se mi udělalo blbě. Na-

---

* Plonk - laciné víno. Dosl. poblión.
** B-B-Q v Austrálii velice populární příprava masa na roštu, venku.

jednou jsem byl jako v mlhách a začalo mi vynechávat srdce. Měls to někdy?

Pavel zavrtěl hlavou: Co to bylo?

Já myslel, že infarkt. No nazdar, řekl jsem si, tak mladej a už abych to zabalil. To mám z toho kouření... Jakžtakž sem zastavil, vylez z auta a sed si do příkopu. Na čerstvým vzduchu se mi udělalo líp. Znova sem nased a jel. Za pět minut to samý! Všechno v mlhách, srdce sotva bilo, řeknu tim, že ani nevím, jak sem zastavil a dostal se z auta. Teď umřu, mám to za sebou, napadlo mě. V hlavě mi hučelo a šly na mne mrákoty. Najednou se ty mrákoty trochu rozestoupily a vidím, že jsem zastavil přímo před hospodou. No, když už mám jít, tak aspoň ve stylu, řek sem si a vpotácel se dovnitř. Doklopýtal sem k baru a hned: Pane vrchní, dejte mi tu nejlepší dvojitou skotskou, jakou tady máte. A honem, dokud je čas! Po skotský se mi udělalo líp, tak sem si poručil ešte jednu a ten nejlepší doutník, co tam měli...

Tomu nerozumím, přece jsi neměl opravdu infarkt, přerušil ho Pavel, co ti vlastně bylo?

Nic. Ten kurva řezník mi zabalil maso do suchýho ledu. Výpary... chápeš? Jenže na to sem přišel až po flašce koňaku. Mezitím mi venku domorodci ukradli z auta maso i plonk a zbyly jen kytky. Ale zkus tohle vysvětlit ženský! Jak mě Eva uviděla, hned popadla Borka a šli do Kapličky. Já jí fakt chtěl udělat dneska radost, z toho by ses posral. Jůžin se odmlčel a opět pohlédl do plamenů.

A zase si nezašukám, zašeptal. Pak zvrátil hlavu nazad a jako by vzýval nebesa, dal se do hlasitého zpěvu. Dejte mi kurvu, řval, nebo si vocas urvu...

Co budeš dělat? přerušil ho Pavel.

Nevím, ale jestli se nevrátí před půlnocí, tak jí rozbiju držku.

To bych nedělal.

Seš nezkušenej. Ženský to občas potřebujou. Můj táta říkával, že když uhodíš ženu, jako bys pole hnojil.

Máš ji jako z praku, nepudeš spát?

Pudu. Kdybych na tu svou píču čekal, budu tady až do rána.

Nemoh bych u tebe přespat? Zeptal se Pavel. Sam má návštěvu.

Jen pojď, odvětil Jůžin, ale lehni si do Borkovy postele, sem vožralej, ešte bych na tebe v noci vlez...

Ráno mě probudila Marie. Tiše vyklouzla z postele a po špičkách vyšla ven. Slyšel jsem, jak jde za karavan a myje se u tanku s vodou. Pak rozdělala oheň a vrátila se. Potichu sebrala věci na snídani a odešla. Dělal jsem, že spím a poslouchal, jak připravuje jídlo. Bylo mi hezky. Tak hezky, jako kdysi dávno, když připravovala snídani maminka a já ležel zachumlán do peřin. Tenkrát se mi nikdy nechtělo vstávat, v pokoji byla zima a maminka měla spoustu práce dostat mě z postele.

Teď to bylo jiné. Nedočkavě jsem čekal, kdy mě Marie zavolá, ale dala si na čas. Pak se vkradla dovnitř a políbila mě. Pomalu jsem otevřel oči.

Vstávej, ty lenochu, smála se, venku už svítí slunce.

Vytáhla mě z postele a vystrčila ven. Na stole, pod visutou plachtou, která sloužila jako jídelna, bylo prostřeno. Cítil jsem, jak napjatě očekává mou reakci. Hrál jsem překvapeného a pochválil ji. Udělalo jí to radost a mne to potěšilo. Dělat někomu radost je velice pěkný pocit, možná i větší, než když někdo dělá radost vám.

Usedli jsme a pustili se do jídla. Nebyly to hody, topinky s medem a horký čaj, ale chutnalo mi. Při snídani jsem ji požádal, aby se ke mně nastěhovala.

Mám vůbec na vybranou? Odpověděla otázkou.

Nemáš, potvrdil jsem.

Co Pavel?

Ten se odstěhuje možná už dneska, zalhal jsem. Bylo to jen zbožné přání. Pavel o ničem nevěděl, ale byl můj nejlepší kamarád, věřil jsem, že pochopí.

Ostatně, kdo by se hádal s bytnou? Včera sis mne vzala, je to tu taky tvoje, uzemnil jsem ji.

Co uděláme s papouškem? snažila se to zamluvit.

Po jídle půjdu na spinifex, slíbil jsem.

Nemáš tu nějaké zrní? Nebo semínka?

Počkej, zarazil jsem se, někde by tu měla být slunečnicová semena. Myslíš, že by to žral?

Pokrčila rameny. Zkusit to můžeme.

Jen jestli to najdu.

Dalo to práci. Byla na poličce s kořením, docela vzadu a byla jich sotva hrst. Nasypali jsme je pod karavan vedle misky s vodou a netrpělivě ptáka pozorovali. Přešlápl z nohy na nohu, ale jinak nám nevěnoval pozornost.

Třeba to hraje, řekl jsem, miska s vodou také vypadá nedotčená, ale jsem si jist, že pije, jinak by už dávno chcíp.

Tak budeme taky hrát, navrhla, nebudeme si ho všímat, třeba si to rozmyslí.

Ale pták si to nerozmyslel. Seděl jako zmoklá slepice a naše pokradmé pohledy ho nevzrušovaly. Jen občas přešlápl z nohy na nohu. Teprve když jsme sklidili a umyli nádobí po snídani, dostavil se úspěch. Seděli jsme v karavanu a přemýšleli zda pojedeme pro Mariiny věci před obědem nebo po obědě, když mě křečovitě chytila za ruku.

Poslouchej! řekla.

Zaposlouchal jsem se, ale nic nebylo slyšet. Zvenčí k nám pronikaly normální zvuky buše. Cvrkot hmyzu, občas nějaký pták, nic zvláštního. Pokrčil jsem rameny.

Pod karavanem, zašeptala významně.

Znovu jsem se zaposlouchal. Nejprve jsem neslyšel nic, ale pak se to ozvalo. Tichý zvuk, téměř něžné lupnutí, jako by někde daleko prasklo dřevo. Chvíli nic a znovu lup, lup. Pak se ozval šramot a cinknutí zobáku o plechovou misku.

Žere, zašeptala vzrušeně.

Louská semínka, připojil jsem se radostně. Se zatajeným dechem jsme poslouchali.

Pojď se na něj podívat, třeba si už zvykl, navrhl jsem.

Vyšli jsme před karavan a usedli na paty. Pták okamžitě zaujal pozici zmoklé slepice a přešlápl z nohy na nohu.

No tak, povzbuzoval jsem ho, nehraj divadlo a pusť se do snídaně, my moc dobře víme, že sis už vzal.

Buď zticha a nehýbej se, radila Marie, třeba se nás ještě bojí. Byl to rozumný návrh. Seděli jsme bez hnutí a němě zírali na ptáka. Trvalo to dlouho, ale nakonec se papoušek pohnul. Lehce a znenadání naklonil hlavu na stranu a mrkl na semínka. Opět se narovnal a podezíravě si nás prohlédl. Seděli jsme nehybně. Pak se parrot natáhl a pomalu vysunoval krk s hlavou až k misce. Když už se zdálo, že zobne do semínek, ozval se za námi hlas.

Haló, bratře! řekl hlas.

Pták se okamžitě stáhl. Zaklel jsem a otočil se. Před námi stál Baba s Věšákem a usmíval se. Za nimi vykukoval Pavel.

Ale, bratře, smál se Baba, copak jsme provedli, že nás takhle vítáš? Baba poklekl a nakoukl pod karavan.

To je hezký pták. Odkud ho máš?

Chytil jsem ho, kdybyste nás nevyrušili, mohl začít žrát.

Tisíceré omluvy, bratře. Přišli jsme s Pavlem, nepozveš nás?

Neochotně jsem je představil Marii a pokynul ke stolu pod plachtou. Marie hostům nabídla čaj. Dělalo mi dobře, jak se půvabně otáčela kolem ohně. Baba usedl, Věšák zůstal u karavanu a prohlížel si papouška. Pavel popošel ke mně a omluvně se zašklebil.

Přišli mi pomoct se stěhováním. Mám dojem, že mě tu už nebudeš potřebovat.

Seš pašák! pochválil jsem ho. V životě jsem neměl kamaráda, kterýmu by to tak rychle myslelo, ale nevyháním tě.

Já vím, ale mně to také vyhovuje.

Povytáhl jsem obočí.

Budu dělat účetního. Starat se o knihy a tak. Baba s Věšákem se v tom nevyznají a teď, co se rozrostl ten víkendový obchod, mají strach, že na nás vlítne někdo z berňáku.

A kde budeš bydlet?

V Kapličce. Dali mi zadní pokoj s vlastním vchodem, takže na tom budu líp než ty... pohlédl na Marii a rychle dodal, teda co se týče bydlení. Zasmál jsem se.

Co si to tam povídáte? chtěl vědět Baba. Zprávy zde roznáším já.

Přešli jsme ke stolu a usedli. Věšák stále klečel před karavanem a prohlížel si parrota. Když ho Baba zavolal, neochotně vstal a přisedl k nám.

Tak především, začal Baba, dostali jsme dopis od městské rady. Říkal jsi mu o tom?

Pavel zavrtěl hlavou.

V tom dopise nám oznamují, že k nám pošlou inspekci, protože se dozvěděli, že jsme porušili zákon a postavili na pozemku nelegální budovy. Svolávám na příští týden poradu, kde se rozhodne co budeme dělat. Přijdeš?

Přikývl jsem.

Za druhé, pokračoval, odvedeme ti bratra, doufám, že

se na nás nebudeš zlobit, ale opravdu ho potřebujeme. Říkal jsi mu o tom?

Teď byla řada na Pavlovi, aby přikývl.

A co jinak?

Pokrčil jsem rameny.

Máš pěknou dívku, pokývl Baba směrem k Marii, ani ses nepochlubil. Proč ji někdy nepřivedeš do Bratrstva.

Je tu první den, ale přivedu ji na poradu, slíbil jsem.

Marie právě přicházela s podnosem. Šla opatrně a soustředěně, aby čaj nevylila. Tmavé vlasy jí spadaly do čela a při chůzi se jemně vlnila. Všichni jsme se dívali. Já pyšně.

Sestro, nejsi z Libanonu? zeptal se Baba, když rozdala čaj.

Ne. Já jsem místní, zasmála se.

Baba se chtěl ještě na něco zeptat, ale Věšák ho předešel.

Víš, co je to za papouška?

Night parrot! odpověděl jsem hrdě.

Zarazilo ho to.

Ty se vyznáš v ptácích?

Moc ne, ale našel jsem si to v atlase.

A tak... a jak ses k němu dostal?

K atlasu?

Ale Věšák neměl náladu na žerty. K papouškovi, zavrčel.

Chytil jsem ho.

Kde?

To mě naštvalo. Co je ti po tom? odsekl jsem.

Věšák se odmlčel a pohlédl k Babovi.

Bratři, řekl Baba, přece byste se nehádali? Jsme jen malá skupina ve víru nehostinného světa, musíme držet při sobě. Nikdy nezapomeňte, že jste bratři, které spojuje láska. Jste jedné krve... Však on to s tebou, Same, Věšák myslí dobře. Řekni mu, bratře, cos měl na mysli.

No, začal tázaný pomalu, jen mě napadlo, že jestli se Sam vyzná v papouščích, mohl by je chytat a kdyby měl chuť... zkrátka, nebyl by to špatný obchod, kdyby si o víkendech postavil stan u Kapličky a prodával je!

To mě vyrazilo dech. Musel jsem uznat, že nápad to byl dobrý. Už jsem se viděl, jak stojím za pultem a prodávám ptáky v klecích. Kdo ví, kdyby mi šly obchody tak, jako Evě s knihami, mohl bych se možná vykašlat i na práci ve skladu.

Kolik myslíš, že bych za jednoho dostal?

To je těžký, odpověděl Věšák, záleží na tom, co je to za druh a jestli bys je měl do páru. Zá párek vždycky dostaneš víc. Já se v ptactvu trochu vyznám, jeden čas jsem se tím živil. Chytal jsem je poblíž Cairns a prodával jednomu obchodníkovi v pet-shopu.* Kdybys chtěl, zašel bych s tebou na to místo, kdes chytil tohohle, a podívali bychom se po okolí. Jestli to stojí za to, ukázal bych ti, jak se chytají.

Připadalo mi to jako férová nabídka. Už jsem ho chtěl vzít za slovo, když jsem zachytil Mariin pohled. Seděla za stolem, mračila se a upřeně na mne hleděla.

To nejde, řekl jsem, je to dost daleko.

Nevadí, kde je to?

To je tajemství.

A tak, usmál se Věšák a pokrčil rameny, chtěl jsem jen pomoci.

Všiml jsem si, jak si vyměnil pohled s Babou. Ten se hned ujal slova a pochválil nás.

Takhle to má být, tvrdil, takhle a nejinak. Řešit vše bratrsky a s porozuměním.

Pak se otočil k Marii a začal jí vykládat o Bratrstvu, o společných meditacích a pozval ji do Kapličky. Ne-

---

* obchod s domácími zvířaty

poslouchal jsem ho a pomáhal Pavlovi s balením. Moc toho neměl a byli jsme brzo hotovi.

Tebe nevyháním, řekl jsem, ale ti dva mi jdou na nervy, vodveď je.

Děláš chybu, odvětil, myslej to s tebou dobře.

Pevně mi hleděl do očí a viděl jsem, že ho to mrzí. Jistě si svůj odchod představoval jinak. Myslel, že mi udělá radost, jak vše chytře navlékl a najednou se mu zdálo, že jsem se trochu odcizil.

Já vím, řekl jsem přátelsky, tys byl a vždycky budeš můj nejlepší kamarád.

Tak proč... nedopověděl.

Pokrčil jsem rameny: To víš, sem zamilovanej, asi mi leze na nervy, jak mi tak kecá do ženy.

Rozesmál se a chápavě zamrkal: Tak já je odvedu.

Odešel ke stolu a vmísil se do debaty.

Same, využil chvíle Věšák. Popošel blíže a naklonil se ke mně: Same, já bych toho papouška od tebe koupil.

Není na prodej.

Dám ti dvě stě.

Dolarů? vyklouzlo mi nevěřícně.

Ale když mi ukážeš, kdes ho chytil.

To nejde:

No dobře, tak tam jdi sám a chyť mi ještě jednoho, abych měl párek. Dobře ti zaplatím.

Věšáku, já se v tom moc nevyznám, co když chytnu dva samce?

Na tom nezáleží, v tom se nevyzná nikdo.

Jak to myslíš?

Mám kupce. Než přijde na to, že má dva samce... Věšák pohrdlivě mávl rukou: Když mi přineseš párek nebo mě na to místo zavedeš, dám ti tisíc dolarů.

Tisíc dolarů! vytřeštil jsem oči a nezmohl se ani na slovo.

Tisíc dolarů, řekla, když odešli, co budeš dělat?

Pokrčil jsem rameny. Byly to velké peníze. Za tisíc dolarů bychom oba mohli strávit dovolenou v Evropě nebo bych mohl koupit větší karavan. Bylo to lákavé, velice lákavé, ale zároveň mi cosi říkalo, že je v tom lumpárna a cítil jsem, že s tím Marie nesouhlasí.

Nevím, odpověděl jsem, je to lákavé, co myslíš?

Tys dostal nabídku, ty rozhodni.

Copak se s tebou nemůžu ani poradit? Ještě včera jsi mi přísahala že se mnou budeš snášet dobré i zlé, a teď mne v tom necháš.

Zaváhala: Když já bych ráda věděla, co bys udělal ty.

Mě by zase zajímalo, co si o tom myslíš ty.

Tak dobře, řekla, já ti řeknu, co si myslím. Víš, co se stane, až se rozkřikne, že víš, kde jsou night parroti?

Zavrtěl jsem hlavou, ale nebrala mě na vědomí.

Přijedou desítky lidí, možná stovky, z Port Douglasu a odjinud. Prohledají tenhle kraj stopu po stopě, chytěj a zastřelej, nač přijdou. Vytlučou život z téhle krajiny. A to všechno pro mizernejch tisíc dolarů. Myslíš, že přeháním? Před deseti lety objevili na Oiloolu uran. Běž se tam podívat dnes! Všechno rozryté, narušili spodní vodu a zamořili potoky. Domorodce pak museli stěhovat na vzdálenou misii kvůli radioaktivitě. Teď se tam těží kvalitní ruda a vítr roznáší radioaktivní prach široko daleko. Při každé mokré sezóně, když se potoky rozlijí do kraje, se ta hrůza šíří. Trpí zvířata i ptactvo... Já vím, ty si myslíš, že párek papoušků není uran.

Nemyslím, přerušil jsem ji, ale sama jsi říkala, že bych měl objev nahlásit.

Pokývla hlavou.

Představovala jsem si to tak, že když objev nahlásíš na Wildlife servis*, mohli by parroty zachránit. Udělat zde rezervaci nebo národní park. Ale teď když jsem viděla ty lidi, tu chamtivost po penězích...bezmocně mávla rukou.

Jí se to řeklo, ale co jsem měl dělat já? V životě jsem tisíc dolarů neviděl pohromadě, natož abych je vlastnil. Že všichni kradou a přivydělávají si jak se dá, to jsem věděl z práce. Také jsem kradl. Někdy maso, jindy rýži, záleželo na tom, co jsme zrovna skládali. Ostatně, tady nešlo o krádež, tady šlo o to, kdo bude první. Nechtěl jsem přijít zkrátka. Tisíc dolarů! Taková šance se naskytne jednou za život. Nemělo cenu hrát si na poctivce, ale zároveň mi bylo jasné, že se před ní nemohu shodit.

Mám dojem, Marie, že to tajemství neudržíme. Ví o tom moc lidí.

Proč to nezkusit? bránila se. Same, tahle krajina si už prožila svý. Než přišli bílí osadníci, táhl se dešťový les odsud až k Port Douglasu. Farmáři jej vypálili, domorodce vyhnali a přivedli dobytek. Jenže půda tu nikdy nebyla úrodná. Každá mokrá sezóna odplavila trochu svrchní země a o zbytek se postaralo slunce a vítr. Kdysi tu bylo přes tisíc Toogoolawa people a země dokázala uživit dost zvěře pro všechny. Dneska jich je necelá stovka a bez vládní podpory by umřeli hlady.

Farmáři ovšem prosperují, namítl jsem.

Moc ne. Potřebují asi dvacet akrů země na jednu krávu a rok od roku je situace horší. Možná, že za deset let to už bude třicet akrů. Destrukce pokračuje a nejhorší je, že se to nedá zastavit. To, co se zachránilo z dešťového lesa, je zde, na úpatí hor. A zachránilo se to jenom proto, že dobytek nedokáže lézt po skalách. Je to jen malý zlomeček toho, co kdysi Toogoolawa people měli. Proč myslíš,

_____

* Správa národních parků

že tě kůrung varoval, abys nikomu o údolí neříkal? Same, uvažuj, stojí ti to za to? Stojí ti tisíc dolarů za to, abys zpustošil a znesvětil to poslední, co mají?

Nestojí, připustil jsem, ale co Bratrstvo? Vědí o tom.

Povzdychla si: Jsou to chamtivci, aspoň ten Věšák, ale i Baba mě zklamal. Mluvil takovou zvláštní, hloupou i fanatickou řečí, skoro jako jazyk v jazyce. Jen pro zasvěcence. Samé narážky, sestro, láska..., ale láska v tom nebyla. Jenom slova, prázdná slova.

Zaplavila mě náhle vzpomínka. Vzpomínka na dětství a na školu. Tohle jsem znal! Prázdné sliby, zdeformovaná řeč, tlučení hubou... Pane Bože, vždyť ta holka má pravdu! Najednou mi došlo, že jsem zase naletěl. Zase jsem uvěřil něčemu, co neexistovalo. Opět jen kolečko v oblbovací mašinérii. Touha po lepším, po kamarádství, ta věčná touha v nás, která oslepuje... Dostal jsem ukrutný vztek. Na Babu, na Bratrstvo a hlavně na Věšáka. Dobře mě odhadl, za pár dolarů by mě koupil. Už jsem věděl, co udělám.

Pojď, řekl jsem.

Kam?

Uvidíš. Vzal jsem ji za ruku a dovedl ke karavanu. Sundal jsem košili, omotal ji kolem ruky a poklekl.

Klove, řekl jsem na vysvětlenou.

Zatáhl jsem za řetízek a vytáhl parrota. Bránil se, ale omotanou rukou jsem ho přitiskl k zemi a druhou uvolnil řetízek. Vstal jsem a stoupl si vedle Marie. Papoušek seděl a nechápal.

Tak leť, vyzval jsem ho, leť půltisíci!

Jakoby porozuměl, náhle se odrazil a prudce vznesl. letěl rychle a přímo k Mitchell's Ranges.

To bychom měli, oznámil jsem.

Měli, souhlasila, ale dalo to práci.

Druhý den jsem si našel v telefonním seznamu číslo

ornitologického obchodu. V Port Douglasu byly dva. Vybral jsem si ten na hlavní třídě a z práce jim zavolal.

Mám dojem, že jsem učinil objev, řekl jsem, zahlédl jsem hejno night parrotů. Chtěl bych vědět, jestli byste měli zájem a kolik byste mi nabídli za párek?

To je zajímavé, odpověděl hlas, věřil byste, že jsem dneska už podobnou nabídku dostal?

Udělal jsem pozorování s kamarádem, asi mě předešel.

To je možné, souhlasil hlas, já sice nevěřím, že to byli night parroti, ale kdybyste párek měl, radil bych vám, abyste jej vzal do Sydney, tam vám zaplatí víc.

A co si myslíte, že jsme teda viděli?

Pravděpodobně scaly breasted lorikeeta nebo swamp parrota.

Asi, potvrdil jsem, ale stejně by mě zajímalo, kolik...

To je těžké. Kdyby to opravdu byl night parrot a přinesl jste párek, hm, já bych více jak třicet tisíc dát nemohl, ale v Sydney...

Poděkoval jsem a zavěsil. Zalil mě neznámý pocit pýchy. Pýchy, že jsem dokázal vyhodit patnáct tisíc do vzduchu.

Pavlovi se v Kapličce líbilo. Měl svůj pokoj s vchodem na západní verandu a tudíž nádherný rozhled po celém údolí. Také umývárna s toaletou měly úroveň. Rozhodně bylo lepší tahat za řetízek, než u Sama házet lopatou písek. Také atmosféra byla jiná. Živější. V kapličce se scházela vybraná společnost v níž se pomalu začínala vytvářet hierarchie. Na vrcholku byl Baba. Bezstarostný, úžasný ve své magické síle a atmosféře tajemné moci. Kam vstoupil, kde promluvil, tam se šířilo nadšení a víra. Osobně byl Baba bordelář, nikdy po sobě nic neuklidil. Také toho nebylo třeba, o domácí práce se starala děvčata. Především Eva. Trávila v Kapličce celé dny, prakticky se chodila domů jen vyspat. Ale nebyla ve svém nadšení jediná. Jo-Anne s Krystýnou se doslova předháněly, aby v Kapličce pomohly. Na rozdíl od Evy, však patřili do hierarchie i jejich muži. George byl sice velice nepraktický nešika, ale pro bratrstvo zapálený muž, téměř fanatik. Manžel Krystýny, Philip, byl jeho pravým opakem. Pohyblivý, rychlý, přítel Bimbanův, s kterým cvičil karate a Tai-či. Ti dva spolu tvořili jakousi bezpečnostní složku bratrstva.

Druhým mužem Kapličky byl ovšem Věšák. Organizátor, manažer, muž řídící veškeré dění. Bez jeho vědomí a rady se neuskutečnilo nic. Jako byl Baba duchovním vůdcem a zbožňovaným centrem inspirace, tak byl Věšák všemi uznávanou hlavou a motorem organizace. A byl dobrý organizátor. Teď, když Pavel poznal vše zevnitř, musel Věšákovy schopnosti ocenit. Bez jeho talentu by byl spolek jen hrstkou spřízněných duší. A Pavla těšilo, že teď k hierarchii patří i on. Postavil si v pokoji stůl z hrubých prken a s chutí se pustil do práce. Na stůl dal knihy a seřadil je pěkně podél zdi. V Port Douglasu koupil několik odborných časopisů pro accountanty a rozhodil je po stole. Vypadalo to učeně a Pavel se hned cítil důležitější. Práce měl dost a každý to uznával. Všem bylo jasné, že nemohou provozovat obchod o víkendech a neplatit žádné daně, to by se mohlo vymstít. Australský daňový úřad je velice aktivní a k obchodu má svérázný přístup. Příliš mu nevadí, zda je business legální, to je věc policie, hlavně když se platí daně. Jsou známy případy, kdy úředníci vymáhali daně z ilegální prostituce a hrozili udáním. Všem tedy bylo zřejmé, že něco se platit musí a na Pavlovi bylo, aby toho bylo co nejméně.

Nový účetní to neměl lehké. Na jedné straně musel vykázat aspoň nějaký zisk, z druhé strany byl tlačen Věšákem, aby uhrál každý dolar. A Věšák nebyl hloupý. Šel tvrdě za svým cílem, kterým byl zisk bratrstva. V účetnictví se trochu vyznal a kontroloval Pavla přes výkazy, ale o paragrafech daňového zákona neměl tušení. Ani Pavel však neznal všechno. Nerad to přiznával, ale jednou se podřekl a prohodil, že se na určitou věc pozeptá starého Robertsona. Věšák okamžitě strnul.

Koho se zeptáš?

Starýho Robertsona, dělá se mnou na správě a zákony má v malíčku.

Nikoho se neptej, rozumíš? Tohle je naše věc, nikdo o tom nesmí vědět!

Robertson je jako můj táta. Všechno jsem se naučil od něho, protestoval Pavel.

Ne! O našich transakcích se nesmí nikdo dovědět!

Nemusím mu říci nic konkrétního, můžu vždycky navodit nějakou hypotetickou situaci. Zeptám se všeobecně, třeba co se dělá, když nějaká společnost...

Ne! vskočil mu do řeči Věšák. Žádný hypotetický situace! Já ti zakazuji, abys kdekoliv s kýmkoliv mluvil o našich věcech. Rozumíš?

No dobře, souhlasil Pavel, ale bylo by to rychlejší, já všechny zákoníky neznám, ani je nemám.

Kup si je! Bratrstvo to zaplatí, ale nikde ani slovo!

Bylo zbytečné něco vysvětlovat. Pavel to vzdal, ale zarputilost s jakou Věšák vymáhal mlčení, ho překvapila. To by mě zajímalo, co za tím je přemýšlel. Vždyť jde o blbost. Robertson je prima chlap a když mu nic konkrétního neřeknu... Ostatně, co budu Věšákovi vysvětlovat, že na accountanta se čtyři roky studuje a že já se v zákonících nevyznám, i kdybych je měl? Ještě mi řekne, že si bratrstvo najde jiného účetního... A Pavel se rozhodl, že se starým Robertsonem promluví. Jeho odhodlání v něm utvrdila ještě jedna událost.

Večer po společné meditaci, si Pavel vzpomněl, že zapomněl ve velké modlitebně boty. Mrzutě se vrátil. Dveře do haly, která vedla do hlavního pokoje, byly pootevřené. Bos, svým kočičím způsobem, se jimi protáhl a neslyšně vstoupil.

V pokoji se ještě svítilo a na matraci seděl Baba s Evou. Pavel se zarazil, ale ne kvůli těm dvěma. Stál ve tmě a slabé světlo svíčky se k němu nedoneslo. Nemohli ho vidět, i když seděli čelem k němu. Zarazil ho obličej. Obličej v drapérii, která visela na stěně za nimi. Byl to Věšákův obličej. Plný nenávisti i pohrdání shlížel dolů na oba sedící.

Pavla to překvapilo.

Pak se ozval hlas. Babův hlas. Mluvil tiše, srozumitelně a naléhal na Evu.

Jsou to špatní lidé, tvrdil, když budeme hrát férově, vyženou nás odsud, jako vyhnali domorodce. To bys nechtěla, že?

Nechtěla, ale...

Jde také o tvůj dům, víš, co se na něm Jůžin nadřel! Nemysli, že nám jenom hrozí, tohle není Nový Jižní Wales, tohle je sever, Deep North Austrálie. Já mluvím z vlastní zkušenosti. Byl jsem u toho, když zbořili Utopii v Maryborough. Jednoho dne přijeli s buldozérem a srovnali se zemí každou budovu, která neměla povolení městské správy. Nahnali všechny do aut a kdo se bránil, toho zbili a šel do vězení. Ostatní rozvezli po celé Austrálii, podle toho, odkud kdo pocházel. Utopie se už nikdy nedala dohromady.

Potom to vůbec nemá cenu, protestovala Eva, stejně udělají, co budou chtít.

Tentokrát ne! Tentokrát vím, s kým máme tu čest a budeme připraveni. Podívej, máme na správě svého člověka. Je to velice vlivný člověk, možná ten nejvlivnější, ale nemůže si dovolit jít proti všem. Už z pozice své funkce ne, ale může zastávat určitý názor. Řekněme umírněný názor, a předložit správě jiné řešení. Oni ho pochopitelně neposlechnou a stejně sem pošlou policii a možná i ten buldozér, ale když jim zde připravíme úplné fiasko, když celá akce zkrachuje, pak ten náš člověk může vystoupit a říci, že to dávno věděl a kdyby ho byli poslechli, mohli si ušetřit spoustu starostí. Znovu jim předloží svůj plán, jenže ten se bude jevit v docela jiném světle. A z pozice své funkce i prozíravosti ho prosadí.

Eva potřásla hlavou: Nedovedu si představit, jak chceš připravit policii fiasko, zvláště když přijedou s buldozerem...

O to se nestarej, všechno se dovíš v sobotu na poradě, teď jde o toho člověka. On je nám nakloněn, ale není nám zavázán. Kdybychom měli peníze, bylo by všechno jednodušší, ale peníze nemáme, musíme ho získat jinak.

Baba se odmlčel a vytáhl pytlík s tabákem. Zručně ubalil cigaretu, zapálil ji a podal Evě. Ta pomalu vtáhla kouř. Chvíli bylo ticho. Podle toho, jak si podávali cigaretu a kouřili, Pavel uhádl, že kouří marihuanu.

A co chceš ode mne? zeptala se Eva.

Ten člověk má slabé místo. Ženy. Je trochu... nu, já bych to nazval nesmělý děvkař. Kdyby ses s ním vyspala, bude nám zavázán. Velice zavázán.

Jenže já nejsem děvka!

Ale Evi! Baba ji něžně objal: Kdybych potřeboval děvku, půjdu za Krystýnou, a ne za tebou. Tohle není práce pro děvky, ale pro ty nejkrásnější ženy, které tady máme. To není pohana, ale pocta. Jenom ty můžeš zachránit Duhové údolí.

Eva sklonila hlavu: Ale nikdy jsem... jenom s tebou... nerada bych...

Nikdo se o tom nedozví, jenom ty a Jo-Anne...

Jo-Anne?

Baba se usmál: Přece sis nemyslela, že tě v tom nechám samotnou Vybral jsem tebe a Jo-Anne. Jednu světlou, jednu tmavou.

A Jo-Anne s tím souhlasí?

Ano, chce zachránit Duhové údolí, ale bojí se jít sama. Teď je na tobě, zda chceš pomoci.

Nevím... totiž, chci... ale ... když půjde Jo-Anne, půjdu taky!

Hodná holčička, pochválil ji Baba. Pevně ji objal, políbil a zvrátil na matraci. Jak padali, obličej v drapérii zmizel. Pavel ještě viděl, jak Babova ruka jede Evě po nohou a vyhrnuje jí sukni až k pasu Evina ruka zhasla svíci za hlavou. Pavel už nečekal. Nebylo nač. Potichu vyklouzl ze dveří a pospíchal ke svému pokoji. V hlavě měl zmatek.

Náhle vrazil do čehosi měkkého. Někdo tiše zaklel a pevné ruce ho zezadu sevřely.

Kdo je to? ozval se Philipův hlas.

Nevím, odpověděl Bimbam.

Pusť mě, Bimbame, to sem já, Pavel.

Sevření povolilo.

Co tu děláš? zeptal se Bimbam.

Kam jdeš? Chtěl vědět Philip.

Jdu do modlitebny, zapomněl jsem si tam boty.

Tam nesmíš. Baba mi nařídil, abych tu hlídal, řekl Bimbam.

Modlí se, dodal Philip, nechce být vyrušován. Skoč si pro boty až ráno.

O. K., souhlasil Pavel.

Přinutil se, aby jeho hlas zněl normálně a ledabyle vyměnil s oběma několik vět. Pak už bez nesnází došel do svého pokoje. Ulehl, ale dlouho nemohl usnout. V uších mu zněl Babův hlas a před očima stále viděl jeho ruku, jak jede po Eviných stehnech.

Já blbec, myslel si, tak přece jen měl Jůžin pravdu. Ten černej holohlavej hajzl mu prcá ženu. Už se Věšákovi nedivím, že ho nenávidí, teď ten jeho obličej chápu. Věšák dře, snaží se, všechna práce je na něm a přitom ví, co to máme v čele za svatého! A musí držet hubu. Ale já ji držet nebudu, já ne! Promluvím s Věšákem a uvidíme, co se dá dělat. Konec konců, Baba žádné akce v údolí nemá, můžeme ho klidně vyhnat! Zítra se o tom poradím s Robertsonem. Potěšen, že tahle právní klička napadla právě jeho, Pavel usnul.

Porada byla vážná. Sešlo se nás skoro čtyřicet, a to jsem nepočítal děti. Nejprve vystoupil Věšák a přečetl dopis. Šlo v podstatě o to, abychom okamžitě zbořili nelegální stavby, jinak bude council nucen podniknout akci na naše útraty. Zároveň nás městký výbor upozorňoval, že na farmě můžeme tábořit, ale nesmíme na ní nastálo bydlet. Je to proti tomu a tomu zákonu, paragraf, číslo atd. Pouze Kaplička byla uznána jako obyvatelná budova, ale počet obyvatel byl limitován její výměrou. Zákon, číslo, paragraf atd. Podepsán Alderman Watkins. Seděl jsem s Marií na matraci u okna a občas pohlédl ven. Zatažená obloha byla šedivá a mraky visely nízko nad severozápadním obzorem. Kupily se do těžkých hroznů, které pozvolna rostly a zabíraly celý horizont. Měl jsem dojem, že mokrá sezóna vypukne ještě dříve, než skončíme debatu.

To je všechno, uzavřel Věšák. Navrhuji, abychom nejprve posoudili právní situaci a teprve pak otevřeli debatu.

Nervózně se rozhlédl a když nikdo neprotestoval, pokynul Pavlovi.

Z právního hlediska je naše situace úplně jasná, začal Pavel, zákon tohoto státu výslovně zakazuje postavit jakékoliv stavení bez povolení místních úřadů.

V sále to zašumělo.

Běž do hajzlu! křikl někdo.

Pěknej právník, ulevil si druhý.

Počkejte! volal Pavel. Ještě jsem neskončil! To samozřejmě neznamená, že nemůžeme vůbec nic dělat. Bránit se můžeme a taky budeme, ale než vám řeknu jak, musíte si všichni uvědomit, jak na tom opravdu jsme. A jsme na tom blbě, aspoň ti, co postavili domy. Ale i karavan může být prohlášen za permanentní dweling a majiteli vydán příkaz, aby změnil pozici. Výhoda karavanů je v tom, že je můžete odvézt a za týden přijet zpět. Máte pak devět měsíců, než vám mohou znovu přikázat, abyste odjeli. Horší je to s domy. U domů máme jedinou naději, zažádat o dodatečné povolení stavby.

To nám nikdo nedá! zahulákal Karl.

V téhle zemi dostaneš všechno, když víš kde a kolik zaplatit...

Sál ztichl. Hlavně majitelé domů viseli Pavlovi na rtech.

Kolik? křikl někdo.

Hodně, odpověděl Pavel, ale o to teď nejde. Za prvé by bylo nedůstojné Bratrstva někoho podplácet, a za druhé na to nemáme.

Zahučelo to zklamáním.

Jediné, co můžeme dělat, je získat čas.

Proč? K čemu čas? ozvalo se volání. Nepokoj vzrostl. Někdo Pavla vyzval, aby se šel utopit. Jůžin navrhl, aby se koupily pušky a zastřelil každý, kdo vstoupí do Duhového údolí.

Já seženu samopaly, řval Mafia, mně je všechno jedno, já zastřelil fízla a až mě chytnou, budu viset.

Věšák stál stranou a neprojevoval ani trochu chuti, aby se do toho míchal. Pavel prosebně pohlédl na Babu, ale velký vůdce ještě hodnou chvíli seděl mlčky. Teprve když hluk v místnosti dosáhl vrcholu, vstal. Vstal a čekal. Když se hluk utišil, začal mluvit.

Bratři a sestry, začal, Pavel se snažil pouze pomoci. Křivdíte mu ve vašem hněvu. My opravdu potřebujeme čas. Čas na přípravu, čas na taktický plán k boji, protože my se nevzdáme, a tohle boj je! A není to jen boj jedné malé osady s místním councilem. Tohle je válka! Válka našeho bratrského společenství se systémem. Se systémem zkorumpované moci. Odlidštěným systémem světa, z kterého hledáme únik. A my tu válku chceme vyhrát! Ale můžeme ji vyhrát, když přijmeme jejich způsob boje? Nemůžeme! Musíme vypracovat plán, jak je donutit, aby hráli podle našich pravidel, a k tomu potřebujeme čas.

Jak ho chceš získat? zeptal se Věšák.

Řeknu vám jak, dobře poslouchejte. Nejprve začneme po jejich. Odpovíme také dopisem. Budeme tvrdit, že si nejsme vědomi jakékoliv nelegální činnosti a pozveme jejich reprezentanta na návštěvu. Požádáme je, aby nám pomohli a vysvětlili, v čem jsme udělali chybu. Po takovém dopise na nás nemohou s buldozérem. Aspoň ne hned. Až nám vysvětlí, že jsme měli nejprve žádat o povolení ke stavbě, zažádáme. Zamítnutí bude také nějaký čas trvat...

A co s tím časem budeme dělat? zařval Jůžin. Nakonec stejně přijedou a vyženou nás!

Nevyženou! Babovy oči zaplály. Já ti slibuji, že nevyženou! A jestli tomu nevěříš, aspoň ti zbude čas, abys mohl svůj podíl prodat. O kupce se nestarej, jestli se bojíš, já tvé akcie koupím, a bude to dobrá cena! Určíš ji sám!

To zapůsobilo. Jůžin nervózně pohlédl k Evě a ke mně. Pokrčil jsem rameny.

Baba pokračoval: V čase, který tím získáme, musíme zalarmovat tisk! A nejen tisk, ale i lidi z televize a masových médií vůbec. A nejen místní, ale i z Brisbane, ze Sydney... Jestli se nám to podaří, chci je vidět! Chci je vidět, jak jejich policie bije ženy! Chci je vidět, jak boří domy do pláče našich dětí! Chci je vidět, jak to dělají před kamerami z celé Austrálie a necelý rok před volbami do městské správy!

Otevřel jsem překvapením ústa, a nebyl jsem sám. Tohle nikoho z nás nenapadlo. Plán to byl skvělý. Někdo zatleskal.

Ať žije Baba Ranujahne! zvolal Bimbam.

Ať žije! přidali se ostatní. Naděje se vkradla do duší.

My se nedáme! My jim ještě ukážeme! ozývalo se místností.

Obrátil jsem se k Marii. Nesdílela nadšení ostatních. Vzala mě za ruku a usmála se.

Venku prší, řekla.

Pohlédl jsem k oknu. Obloha byla tmavá od obzoru k obzoru. První řídké kapky dopadaly na zem.

Bratři, zařval jsem, právě vypukla mokrá sezóna! Teď se sem dva měsíce nedostane ani noha, natož buldozér!

Vypukl všeobecný jásot a nadšení zaplavilo sál.

Pršelo. Prvních čtyřicet osm hodin nepřetržitě. Voda se valila z nebes jako obrovský vodopád a zaplavovala zem. Půda se brzy nasákla. Udělaly se louže, pak jezírka a nakonec nové laguny. Každá proláklina byla plná vody, ale ani to nestačilo. Rozpoutaný živel se valil krajem, tvořil nové potoky a vymílal koryta řek. Jalboi Creek se rozvodnil a dole u rýžových polí se rozlil do obrovského jezera. U Kapličky přívaly deště, bičované větrem, odplavily pracně vybudovanou zahradu. Zůstalo jen pole bahna, z kterého tu a tam prosvítaly kameny a jíl.

Do práce se jezdilo špatně. Cesta byla bahnitá a napříč rozrytá strouhami. Dal jsem Marii holdena a jezdil do skladu v mini-moku. Měl přední náhon, což byla výhoda, ale bez stěn, jen s plátěnou střechou, jsem si užil své. Pršelo na mne ze všech stran a do Port Douglasu jsem dojížděl promáčený a špinavý od bláta, které na mně stříkalo z protijedoucích aut.

Koncem týdne mokré sevření povolilo. Už tolik nepršelo a občas se ukázalo slunce. Z nasáklé země stoupaly páry a bylo horko. Špatně se dýchalo a na kraj padlo lepkavé dusno.

V sobotu ráno jsme s Marií umyli auta. Potřebovala to obě. Moke měl bláto na předním skle i zevnitř a na podlaze palec tlustou, mazlavou břečku. V práci jsem pro ten účel ukradl kbelík s kartáčem a houbou. Udělal jsem to šikovně. Když se mě na vrátnici ptali, kam to nesu, jenom jsem ukázal na moka. Stál dobrých třicet metrů od brány, ale i na tu dálku bylo vidět, jak je špinavý.

Nevidím z auta, tvrdil jsem, půjčil jsem si to na umytí okna, jinak ještě někoho přejedu.

Okno jsem umyl, ale kbelík už nevrátil. Prostě jsem odjel. Nejpraktičtější byl kartáč. Měl dlouhou rukověť a na špici štětku, kterou se dalo vyšťourat bláto i z těch nejméně přístupných koutů.

To je šikovná věc, pochválila mě Marie, kdes to koupil?

Půjčil jsem si to.

Půjčil?

No, v práci. Na věčné splátky, chápeš?

Ale nechápala. Musel jsem jí to vysvětlit. Potřásla lehce hlavou a nevěřícně na mne pohlédla: To není možné.

Co není možné?

Že jsem si vzala zloděje!

To mi vyrazilo dech.

Jakýho zloděje, řekl jsem, co to meleš?

Same odpověděla, já jsem si tě takhle považovala - a rozpřáhla ruce, aby naznačila jak.

Víš ty vůbec, cos udělal? Cos udělal mně, ale hlavně sobě?

Ušetřil jsem pět dolarů, navrhl jsem.

Copak to nechápeš! vykřikla. Copak nechápeš, že ten nejlepší mužskej na světě, opravdovej chlap, by tohle nikdy nedokázal? Vzala jsem si tě, protože jsem si myslela, že ty ten chlap seš!

Dostal jsem vztek.

Tohle je život, zavrčel jsem, né škola. Kradou všichni, úplně všichni! Každý si přivydělává, jak může, a když nemůže, pak to není tím, že by nechtěl, ale protože je neschopnej nebo prostě blbej. V práci kradou dělníci, mistr, kontroloři a nejvíce ti úplně nahoře. Ti dokáží zašantročit i vagón masa. Kdo si myslíš, že zásobuje Mudgeerabah misii alkoholem? Náš sklad! Minule prodali překupníkovi sto kartónů piva, které odepsali z dovozu, a ten člověk to odvezl na půl cesty k misii a prodával za deset dolarů tucet. Měla bys vidět tu frontu. Co je proti tomu kbelík s kartáčem za bůra?

Ty nic nechápeš, mávla rukou, jde o tebe!

Kdo nekrade, okrádá svou rodinu, chtěl jsem ji odbýt, ale náhle ten starý vtip zněl prázdně. Cítil jsem, že za jejími protesty je něco jiného, ale nechtěl jsem se jen tak vzdát. Nazvala mě zlodějem, to bolelo. Zdálo se mi, že se musím nějak očistit, aspoň před ní.

Podívej, život kolem je džungle, v který se každý snaží urvat, co se dá, a nejsou to jen vztahy mezi lidmi, ale i mezi organizacemi. Vztahy legální, na vysoké úrovni.

Vezmi třeba pojišťovny. Ty tě pojistí na co chceš, proti čemu chceš a všechno je prima, dokud jim platíš, ale zkus něco požadovat! Hned ti dokáží, že jsi se přepojistila a chtěla na nich vydělat, na to jsou penále. Představ si, penále na to, žes jim platila víc, než jsi měla a když to sečtou, nedostaneš z pojištěné sumy skoro nic. Nás s Pavlem jednou vykradli... To bylo ještě v Sydney. Měli jsme byt na Bronte* a pojistili jsme si zařízení na tisíc dolarů. Jednou jsme přišli z práce domů a byt holej, tak jsme šli na pojišťovnu. Tam to s náma sepsali a zjistili, že nám byl ukraden majetek v hodnotě skoro tří tisíc - a teď se podrž! Oznámil nám, že jsme nebyli dost pojištění. Takhle jsme je prý okrádali a neplatili, kolik měli. Odečetli to z pojištěného tisíce a dostali jsme čtyři stovky. Čtyři stovky! Pojišťovny nejsou nic jiného, než okrádací spolky, které prodávají lidem ne pojistky, ale pocit bezpečnosti! A to vše legálně za podpory státu. A proč ne? Stát také okrádá. Máme inflaci, tak si politici nedávno odhlasovali zvýšení platů o třináct procent, ale pracující, to je ty a já, dostali jen čtyři a půl procenta. Není tohle zlodějna? Každý myslí jen sám na sebe! Když stát veřejně okrádá své občany, co od nich může očekávat?

Okradl bys Bratrstvo Duhového údolí? zeptala se. Okradl bys Pavla nebo mne?

Neptej se tak hloupě, to bych nedokázal.

Opravdu ne? Tak já ti něco něknu. Ty ses dal dohromady s Bratrstvem, protože hledáš spravedlivější partu, než je svět okolo. Takových lidí je spousta. Poctivců, kteří hledají opravdové kamarádství a mezitím podvádějí kde mohou. Jak můžeš obviňovat politiky z něčeho, co sám děláš? Oni jsou jen zrcadlem toho, jací jsme my. Copak nevidíš, že i Duhové údolí je jen odrazem světa?

---

* Bronte - sydneyská čtvrť

Že i zde žijí stejní lidé jako tam venku? Až se ti tu, třeba náhodou, něco ztratí nebo ti někdo něco ukradne, co budeš pak dělat? Začneš krást?

Ne, to ne, protestoval jsem, ale nebrala mě na vědomí.

Mně teď nejde o společnost, o údolí, mně jde o tebe. Same, cožpak nechápeš, že podvádíš sám sebe? Že na ničem nezáleží, jen na tom, co ze sebe uděláš? Život je džungle vztahů, ale také charakterů a jestli má na konci něco smysl, pak jen to, co jsi s tím charakterem udělal. Žádné jiné bohatství se tu nedá získat. Chápeš teď, co sis udělal?

Najednou mi došlo, že má pravdu. Na ničem jiném opravdu nezáleželo, jen na charakteru. Nenechat nikoho, ani okolnoti, aby si se mnou dělaly co chtěly. Uvědomil jsem si, že jsem naletěl. Sám sobě.

Byl jsem úplně blbej, zamumlal jsem překvapeně, v pondělí to vrátím.

Pátravě na mne pohlédla.

Bylo dusno. Scházel jsem pomalu strání k Jůžinovu domu, když se za mnou ozvalo murrumurro. Domorodé slovo pro křik divokého krocana. Prudce jsem se otočil. Volání znělo velice blízko, ale nikdo za mnou nebyl. Murrumurro, ozvalo se z druhé strany. Znova jsem se otočil, a opět nic. ještě několikrát se to ozvalo, pokaždé odjinud. Pomalu jsem si připadal jako v údolí night parrotů, když si ze mne dělal šašky kůrung. Tentokrát to nemohl být on. Borek, napadlo mě. Při nejbližším murrumurro jsem si sedl na paty a zavolal: Tak pojď, Bori, tentokrát jsem tě viděl! Chvíli se nic nedělo a pak se rozhrnulo křoví a ukázal se kluk.

Vopravdu jsi mě viděl? zajímalo ho.

No, neviděl, ale tušil jsem, že to budeš ty.

Zase jsem naletěl, ušklíbl se kysele.

Naletěl, přiznal jsem, ale děláš to moc dobře. Zajímalo by mě, jak jsi kolem mne běhal, že jsem tě neviděl?

Běhal? Ale já vůbec neběhal! Seděl jsem celou tu dobu v tomhle křoví.

Mně se zdálo, že jsi pokaždé volal z jiné strany?

Tak se mi to přece jen povedlo!

Povedlo, potěšil jsem ho, úplně jsi mne zblbnul, jak to děláš?

Břichem, odpověděl pyšně, podívej!

Otevřel ústa, svraštil čelo a zavolal murrumurro, ale ne pusou. Ozval se dutý zvuk, kdyby nestál přede mnou, mohl mě lehce splést. Otevřel jsem překvapením ústa a po domorodém zvuku obdivně vsrkl vzduch.

To je, co? chlubil se.

To je!

Tak takhle to dělal kůrung!

Kde ses to naučil?

Od Tommyho, ve škole. To ti je, strejdo, legrace, když učitelka... zarazil se a provinile na mne pohlédl.

Zase jsi naletěl, viď? Zapomněls, že učitelka teď bydlí u mne.

Kam jdeš? snažil se to zamluvit.

K vám.

Máma není doma, ale táta jó, má návštěvu.

Koho?

Mafiu, teda strejdu Tonyho, opravil se.

Strejdu?

No, chodí k nám teď dost často, tak jsem mu začal říkat strejdo, jemu se Mafia nelíbí. Mně taky ne. Teda von. Vždycky přijde a sedí s tátou dlouho do noci a pijou. Kdy mě zase vezmeš na misii? Teď ne, je moc bláta, ale chci jít brzy na výpravu.

Kam? zajásal.

Ukázal jsem hlavou k horám: Mitchell's Ranges. Když budeš hodnej a táta tě pustí, vezmu tě s sebou.

Vopravdu? A Tommyho bys taky vzal?

Nevím.

Mohli bysme ho vyzvednout ve škole.

Nepřeháněj to, skočil jsem mu do řeči, nejdřív se zeptej táty.

Zeptám se mámy, táta je v poslední době divnej.

Měl pravdu. Jůžin byl divnej. Seděl s Mafiou v kazooce* a pili. Tvářil se chmurně a přivítal mě bez úsměvu.

Tak se mi kurví žena, řekl smutně, a já jí to ani nemůžu dokázat.

Ty se jí taky kurvíš, řekl jsem bez obalu.

Hovno se kurvím, tak akorát s rukou.

A co Magda?

To je něco jinýho, mávl rukou, zapřel jsem to, nemůže mi nic dokázat.

Tak je to jedna jedna.

Není! Co to meleš? Já vím, že vona se kurví teď, chápeš? Akorát jí nic nemůžu dokázat. Poslal jsem za ní tady Mafiu, aby zjistil, co a jak, ale ty hajzlové teď hlídají Kapličku a Tonda se tam nemůže dostat. Představ si, že Bimbam s Philipem hlídaj Kapli jak vojclové muničák, tak mi neříkej, že se tam něco neděje! Přece tam nehlídaj to hovno, co v ní je?

Třeba hlídaj drogy, navrhl Mafia.

Jaký drogy? zeptal jsem se.

Mafia si mne nedůvěřivě prohlídl.

Před tím můžeš, Tony, to je můj dobrej kamarád, nic neřekne, prohlásil Jůžin.

No, marihuanu, ale mají taky heroin.

Heroin? zeptal jsem se užasle. Kde by vzali heroin?

---

* Veliký stan z moskytové sítě

To víš, mám styky, prohlásil Mafia pyšně. Prodává se to přes víkend, ani bys nevěřil, jak to zvedlo návštěvnost. Jezděj sem teď adikti z celýho kraje a Bratrstvo si vydělá nějakej ten dolar. Přece sis nemyslel, že žijou z prodeje knih a ovoce, ne? Mafia se zachechtal: No a já si taky přijdu na svý.

To čumíš, co? prohlásil Jůžin.

To čumím, přiznal jsem, to se musí zarazit!

A proč? zeptal se Mafia výhrůžně.

Protože dáváme polici důvod k tomu, aby nás všechny vystěhovali. To tě nenapadlo, co? A ty blbce z Bratrstva taky ne.

Bez obav! Mafia si poklepal na prsa a vytáhl ze záňadří pistoli. Všechno je pod dohledem a když někdo něco cekne... významně zbraní zatočil na ukazováčku.

Já vám seru na drogy! zařval Jůžin. Zvedl sklenici s whiskou a zhluboka se napil.

Tak proč to piješ, zamumlal jsem.

Seru na drogy, řval, já chci zpátky svoji ženu! A jestli ji s někým nachytám, tak ho pak můžeš zastřelit.

Klíďo píďo, ale co když s nikým nespí, co když jim vopravdu žere náboženství? řekl Mafia.

To bych nepřežil, prohlásil Jůžin zoufale, to by bylo ještě horší, než kdyby se mi kurvila... To bys pak musel zastřelit mě.

Mně je všechno jedno.

Možná, kdybys mě zastřelil, že by se jí rozsvítilo v hlavě, zauvažoval opile Jůžin, poznala by, koho vlastně ztratila. Víš co, nejlepší bude, když vopravdu zastřelíš mě.

Když chceš, řekl Mafia ležérně, mně je všechno jedno, já prásknu každýho, ale musím říct, že takhle hezky mně vo to ještě nikdo neřek.

To by byla vražda, přerušil jsem je.

No a? Já na to seru. Zabil jsem fízla a až mě chytěj, stejně budu viset. A tohle je kamarád. Chceš, hned teď? Mafia zamířil na Jůžina.

Jůžin okamžitě vystřízlivěl. No, já eště chci promluvit s Evou a zrovna teď hlídám kluka, než se vrátí... Hergot, zkurvenej život, člověk už nemá ani čas, aby se dal v klidu zastřelit.

Jak myslíš, řekl zklamaně Mafia, ale kdybys potřeboval, tak si řekni. Udělám to čistě z přátelství, nic za to nechci. Furiantsky zatočil pistolí a ledabyle zamířil na mne.

Dej to pryč! řekl jsem.

Proč? Bojíš se?

Nemám rád, když na mne někdo míří.

Já zase jo.

Tak miř na sebe.

Já si budu mířit, na koho chci.

Vyskočil jsem a kopl po pistoli. Jak seděl, stačil se jen přikrčit a natočit bokem. Kopanec ho nabral do ramene a Mafia přepadl i se židlí dozadu. Pistoli nepustil. Musil jsem přeskočit židli a rychle na něj kleknout. Bránil se, ale vykroutil jsem mu ji z ruky.

Posadil se a lhostejně prohlásil: Co se čílíš, stejně není nabitá. Nemůžu do ní sehnat náboje.

Na to ti seru, odpověděl jsem a zkontroloval zbraň. Nelhal, pistole opravdu nebyla nabitá.

Běž! přikázal jsem mu.

Co?

Běž! zařval jsem.

Nechápavě na mne pohlédl: Kam?

Třeba do prdele! Seber se a zmiz, už tě tu nechci vidět.

Pohlédl na Jůžina, ale ten se ho nezastal.

Neměls na něj mířit, řekl von to nemá rád.

Mafia vstal a přešlapoval z nohy na nohu. Otevřel ústa, ale nedal jsem mu čas, aby něco řekl.

Tak bude to?

Nenávistně po mně přejel očima a beze slova odešel. Dívali jsme se, jak stoupá úvozovou cestou po stráni vzhůru, až došel k záhybu. Tam se otočil a zahrozil pěstí.

Ha, ha, rozchechtal se Jůžin, řeknu ti, že sem se už dlouho takhle nepobavil.

Já taky ne, přiznal jsem, v životě by mě nenapadlo, že by se chlap nechal tak zesměšnit.

Cha, cha, ale patřilo mu to, všim sis, jaký hrál divadlo?

Všim. Nejlegračnější bylo, jak si myslel, že mu to žereme...

Přesně tak, smál se Jůžin a plácal se do stehen.

Proto jsem taky zakročil, nemám rád, když si někdo utahuje z mých kamarádů.

Počkej, zarazil se, jak to myslíš?

Tak. Dělal z tebe pěknýho šaška!

Nechápavě se na mne podíval.

Uvidíš, jak se nasměješ, až si celý údolí bude vyprávět, jak ses chtěl nechat zastřelit... z nešťastný lásky! Už vidím Evu, jak se sem řítí, aby tě odprosila...

Ale to přece... začal, ale nedal jsem se vyrušit.

Jak ti klečí u nohou a prosí za odpuštění. To se ti teda povedlo, na to by nepřišel ani Mafia. Tomuhle říkáš chlapský jednání? To je to tvoje "hnojení pole"?

To platilo za dob mýho táty, mávl rukou, kdybych Evu uhodil, uteče mi.

Máš ji ještě vůbec rád?

Proč myslíš, že se tak trápím? Nevím co dělat.

Co bys měl dělat, to nevím, ale můžeš začít třeba tím, že budeš přemýšlet o tom, cos dělal a hlavně cos nedělal.

Nejhorší je, že jsme se odcizili. Za ty léta jsme si každý utvořil svůj vlastní svět. Časem jsme se dostali do situace, že společnej nám byl akorát ten kluk. Nebejt Borka, tak jsem to možná už dávno zabalil, ale teď, když to prakticky balí ona, najednou zjišťuju, že ji mám rád...

To dost pozdě.

Možná. Moc se nesměj, taky tě to čeká.

Nečeká, řekl jsem pevně, dám si bacha.

Jak?

Co já vím, nějak už to zvládnu.

To jsem si taky říkal, nějak už to zvládnu, ale jak?

No, poškrabal jsem se na hlavě, budu se snažit, abysme měli společný zájmy. Aby nás bavilo něco dohromady...

Nějakýho koníčka?

Proč ne? Ale hlavně z ní musím udělat toho nejlepšího kamaráda, jakýho jsem kdy měl, jinak se na to můžu vysrat...

Kamaráda, opakoval zamyšleně, víš, že to není špatnej nápad? My s Evou byli milenci, pak manželé, ale nikdy kamarádi. Ani nevím proč, asi jsem ji dost podceňoval... ty kluku blbá, usmál se, dyť ty ani nevíš, žes na to káp! Kamaráda, opakoval, já z ní udělám toho nejlepšího kamaráda! Rozjařeně se napil a podal mi láhev.

Zavrtěl jsem hlavou: Nechci, dík. Marie to nemá ráda. Musím si dávat bacha, abych toho svýho nejlepšího kamaráda moc nenasral...

Zarazil se a svraštil čelo. Chvíli přemýšlel, pak vzal nedopitou láhev a velikým obloukem ji hodil do buše.

Měl jsem to udělat už dávno, řekl.

Když přešly nejhorší deště, přijela inspekce. Alderman Watkins se dvěma staršími pány vojenského vzhledu. Později jsme zjistili, že ten hromotluk, co řídil, byl skutečně od policie. Přijeli znenadání, v době, kdy většina osazenstva byla v práci. Jen Baba s Věšákem museli o jejich návštěvě vědět. Už ráno, dávno před příjezdem, poslal Baba pro Evu a Jo-Anne...

Neočekávanou návštěvu jsme s Pavlem potkali cestou do práce. Byli jsme téměř v Port Douglasu, když nás minuli. Jeli v černé limuzíně se staženými okny a řidič se nám pečlivě vyhnul. Zajel až k okraji vozovky a zpomalil. Bylo to ohleduplné, silnice byla ještě plná bláta a louží z nočního deště, dovedl jsem to ocenit a také jsem zpomalil.

To jsou oni, řekl Pavel.

Kdo?

Inspekce. Alderman Watkins a pár panáků z výboru.

No a?

Jedou k nám na návštěvu.

Tak ať jedou, nic novýho stejně nezjistěj.

Oni ne, ale já bych mohl... pojď, hodíme áčko.

Nic házet nebudu, to mi za to nestojí! zamračil jsem se.

Do práce se mi sice nechtělo, ale byl teprve únor a z přidělené kvóty osmi absencí na rok jsem si už čtyři vybral.

Ničemu nerozumíš, tvrdil Pavel, teď jde do tuhýho. Je v tom Eva, to ti vysvětlím cestou, ale je v tom i něco jinýho.

Co jinýho?

Na to chci právě přijít.

Ale proč bych kvůli tomu já musel házet áčko?

No dobře, tak mi půjč auto.

Pojedeš zpátky?

Pojedu.

To by mě zajímalo, co v tom...

Pojeď taky, skočil mi do řeči, cestou ti to vysvětlím.

Ne, půjčím ti auto, rozhodl jsem se, ale musíš mi slíbit, že pro mne odpoledne zajedeš.

Přikývl. Ve městě jsem zastavil u telefonního automatu, Pavel zavolal do práce a omluvil se. Pak mne odvezl ke skladu. Vystoupil jsem, sebral kbelík s kartáčem a pyšně vykročil k bráně.

U Kapličky nikdo nebyl, po limuzíně ani stopa. Museli jet hned na objížďku, napadlo Pavla. Objel budovu a zaparkoval za tankem s vodou. Vstoupil zadem do budovy. Hlavní sál s matracemi k sezení byl prázdný a čistě uklizen. Uprostřed byl nízký stůl, ale kromě květin na něm nic nebylo. Ani v kuchyni nikdo nebyl. Na vále v rohu stály mísy s jídlem. Pavel potichu vyšel na verandu a zamířil ke svému pokoji. Když míjel koupelnu, někdo pustil vodu. Pavel potichu otevřel dveře do pokoje, protáhl se dovnitř a zavřel.

Co tady chceš? ozvalo se za ním. Na posteli seděla Eva a kouřila.

Co tady chceš ty? Zakoktal Pavel. A kdo je ve sprše?

Jo-Anne, ale ty máš bejt v práci, ne?

Hodil jsem áčko, vzpamatoval se pracant, přijdu domů jedna holka v koupelně, druhá v posteli... tak ani nevím, jestli si mám dát nejdřív sprchu nebo si jít lehnout.

Sprchu, řekla Eva o poznání vlídněji, ale ne hned. Jo-Anne by z tebe mohla dostat šok, podívej se, jak vypadáš.

To je vod aut. Do toho moku taky stříká všechno, co jede kolem.

Pavel se odmlčel a prohlédl si ji. Měla nalíčené oči a namalované rty. Tmavé vlasy jí stahovala nazad bílá stuha a v odkrytých uších se houpaly těžké kruhy. Kolem těla měla lehké sárí. Vypadá jako indická kurva, napadlo Pavla.

Vypadáš jako cikánka, řekl.

Pokrčila rameny.

Jako svádivá cikánka... koho chceš svést?

Tebe ne.

Co takhle inspekci?

Trhla sebou, ale odpověděla ležérně: Když budu chtít...

V tomhle vohozu bys svedla i samotnýho Watkinse... když budeš chtít.

Ztuhla a mlčela.

Počítám, že by neodolal. Že by neodolal a byl by nám zavázán, velice zavázán!

Kdo ti co řek? zasyčela.

Nikdo. Ale je zajímavé, že když dva řeknou to samé, nemá to ten samý efekt. Vsadím se, že ode mne to zní tak hloupě, že tě to vůbec nedojme, natož aby sis lehla naznak a roztáhla pro mě nohy.

Zmiz, řekla pobouřeně, běž pryč!

Jak chceš. Půjdu za Jůžinem.

Nervózně si olízla rty: Počkej, Jůžinovi jsi nic neřekl, ne?

Proč, bojíš se ho?

Je to blázen, ztropí výtržnost.

Tak proč to děláš?

Proč, proč, opakovala rozzlobeně, dělám to taky pro Jůžina, nejen pro Bratrstvo. Chci zachránit náš dům... Možná, že to není nejlepší cesta, ale aspoň dělám něco. Co děláš pro záchranu údolí ty?

Pro údolí, pro Jůžina... s Babou spíš taky pro něj?

Jak to víš? vyjekla.

S tím si hlavu nelam. Řekni mi, proč s ním spíš. Pro Jůžina?

Ne, to ne, zajíkla se, já vím, co si myslíš, ale tak to není. Nemysli, že Jůžin je svatej! Deset let s ním žiju, a co z toho mám? Docela nedávno mě podved s jednou ženskou a zapřel to. Já mu to nemůžu dokázat, ale vím to! Je to děvkař a ochlasta. Nemá žádný cíl, žádnou životní cestu, zestárnu vedle něj jako docela obyčejná, hloupá ženská...

To by mě zajímalo, řekl Pavel, jestli ho ještě máš aspoň trochu ráda, nebo se ho jenom bojíš?

Nevím, milovala jsem ho... kdysi, ale když on se nezměnil. Nemůžu se s ním o ničem bavit. Pořád je jak devatenáctiletej kluk, samá legrace, klukovina, ale já už jsem jiná, mně to nestačí.

Jen nevím, co se na tom zlepší, když budeš spát s Babou.

Baba je jinej. Velikej a chápající. Otevřel mi oči a dal mému životu opět smysl. Ukázal mi Cestu a pozvedl mě z všednosti, z nízkosti...

Pozvedl tě z nízkosti! rozlobil se Pavel. Tak já ti něco řeknu. Jestli si teď nelehneš a nedáš mi, půjdu za Jůžinem a všechno mu řeknu.

To nemyslíš vážně!

Vyber si, buď se mnou ... nebo Jůžin.

Ale to ... to je vydírání...

Je. Buď mi dáš, anebo...

Ty hajzle, zasyčela.

Lehni si!

Zoufale na něj pohlédla. Pak si pomalu lehla naznak a vyhrnula sárí. Neměla pod ním nic. Hlavu zvrátila na stranu a do očí jí vhrkly slzy.

Přikrej se! přikázal.

Nebrala ho na vědomí. Přistoupil a shrnul jí sárí přes nohy.

Evo, řekl těžce, tohle z tebe dělá Baba, copak to nevidíš? Nejdřív tě dostal sám a teď tě nabízí Watkinsovi. Co budeš dělat, až si bude chtít zavázat někoho jiného? A co když tě začne vydírat? Co když ti pohrozí Jůžinem, jako před chvílí já? Copak to nechápeš? Copak nechápeš, že tě má v hrsti a používá tě, jak se mu zachce? To je to tvoje pozvednutí z nízkosti?

Vedle přestala téct voda.

Radši půjdu, zašeptal Pavel a pohladil ji po tváři. Přemýšlej holka, seš na Cestě. Nenech nikoho, aby tě po ní postrkoval, jak chce. Mohla bys zjistit, že jdeš někam, kam jsi nechtěla...

Vstal a přešel místnost. Opatrně otevřel dveře a bez ohlédnutí vyšel ven.

Inspekce se vrátila před obědem. Všichni tři muži usedli za stůl v hlavním sále a vytáhli bloky na psaní. Tiše mezi sebou hovořili a občas si udělali poznámku. Později k nim přisedl Baba s Věšákem a rozproudila se debata. Alderman Watkins poukazoval na stavební zákon, který byl porušen. Baba to uznal, ale bránil se neznalostí a dobrou vůli nelegálních stavitelů. Prosil o pochopení, vždyť tu jsou rodiny s dětmi a nebylo by humánní vyhnat je z domovů, které si nezadaly s domy ve městě. Nakonec žádal o pomoc správu. Jistě existuje nějaká legální cesta, jak lidem pomoci. Alderman přislíbil, že celou věc znovu prostuduje a když to bude možné pomůže. Nezáleží ovšem pouze na něm.

Bylo to slibné a nezávazné. Tím porada skončila a dívky přinesly oběd. Po jídle se debata rozproudila znovu. Tentokrát se s Watkinsem bavil Věšák. Nakonec oba vyšli na verandu. Děvčata sklidila se stolu a odnesla nádobí do kuchyně. Pak Baba zavolal Evu a řekl jí, aby šla do ložnice. Nic víc.

Co teď, pomyslela si, když osaměla. Co budu dělat, až přijde Watkins? Dlouho se nic nedělo. Z vedlejší místnosti sem doléhaly hlasy a Eva byla pořád sama. Stála uprostřed pokoje a hlavou se jí honily divoké myšlenky. Pak se otevřely dveře, ale do místnosti nevstoupil Watkins. Byl to jeden z těch dvou zbývajících, ten hromotlučnější. Usmál se a přistoupil k Evě.

Říkali mi, že... zarazil se.

Říkali? Kdo? prolétlo jí hlavou. Kdo ještě o tom ví? Muž nedomluvil. Znenadání ji prudce objal.

Měl přijít Watkins, tohle přece... Přece nepůjdu s každým... Pavel měl pravdu, pomyslela si hořce. Náhle ucítila, jak mužova ruka jede po jejích stehnech a vyhrnuje sárí. Byl to tvrdý, nesmlouvavý pohyb a Eva se instinktivně stáhla, ale muž byl silný. Pevně ji držel a volnou rukou vnikl mezi její nohy. Chtěla poodstoupit a mimoděk se uvolnila. Muž toho okamžiku využil a kolenem ji rozevřel ještě více. V Evě se zvedla vlna odporu. Vlna fyzického znechucení. Sebrala všechny síly a prudce ho odmrštila, až upadl.

Co blbneš, zakoktal, já mám vliv, sem od policie...

Jak padal, strhl s ní horní část sárí, ale Eva toho nedbala. Do pasu nahá vyběhla z pokoje, proběhla sálem kolem překvapeného Baby a halou ven.

Ale kdepak, Same, smál se Borek, to je taky překvapení. Toogoolawa people to dělají obráceně. Obdarovaný ví, co dostane, ale ostatní to nevědí. To je to překvapení. Pro ně. Když se s dárkem vytasí, tak se mužou radovat a těšit za něj.

Moc jsem to nechápal. Vzal jsem ho na výlet, jak jsem slíbil, a šli jsme jen tak nalehko. Všude bylo ještě dost vody a přes rameno jsem nesl pletenou tašku s jídlem. Kromě jídla v ní byla i Mafiova pistole. Představoval jsem si, jak Borka překvapím, až se s ní někde na pasece vytasím a budeme si hrát na střílení. Patrony jsem pochopitelně neměl.

No jo, řekl jsem, ale kdo mu ten dárek dá, když kromě něj to nikdo neví?

Většinou Nganjah,* proto mu taky řekne, co dostane, aby se připravil.

Připravil na co?

Na obřad. Každý dárek je vlastně initiation,**že už dosáhl určitého stupně, víš?

Nevěděl jsem nic. Šli jsme proti proudu Jalboie creeku a hledali přechod. Potok byl stále rozvodněný, i když už trochu opadl. Do údolí night parrotů se nedalo podplavat, ale chtěl jsem zkusit, zda není možné dostat se k němu ze severu. Jestli neexistuje suchá cesta.

Takže kdybych ti chtěl dát pytel pomerančů, musel bych ti nejdřív říct...

Pomerančů! vyprskl smíchy. Same, to je jídlo, to patří všem! Když přineseš jídlo, tak pro všechny. Jídlo nemůžeš dát jenom jednomu.

Proč bych nemoh, když budu chtít?

No, můžeš, ale on se stejně musí se všema dělit, potřásl hlavou nad mou nevědomostí, dárky, to jsou věci, které dostaneš po dosáhnutí určitého stupně. Jako třeba zbraně, a holky zase dostanou věci na vaření. Dárek je třeba i jizva, když tě chytnou a kůrung ti udělá znamení kmene.

Počkej, říkal jsi, že obdarovaný o tom ví. Proč a kdo by ho chytal?

No muži přece. Obdarovaný ví, že ho chytnou a odtáhnou k obřadu, to ví dopředu, ale neví kdy a kde. Na to jsou určitá znamení, to ví jenom kůrung.

A co ti, kteří ho chytají?

Ti taky nic nevědí. Těm kůrung řekně až těsně před tím, aby šli a chytili ho, ale je to vlastně jen taková hra, a potom mají všichni radost, že ten dotyčný už docílil určitého

---

* otec
** zasvěcení

stupně. Jako když já dostal bumerang. Pak už jsem mohl s klukama lovit a nemusel jenom nadhánět, chápeš?

Pochopil jsem, že dárkem míní vlastně vyznamenání. Ohodnocení určitého stupně vývoje. Také idea, že obdarovaný se z dárku netěší sám, ale naopak se všichni těší za něj, se mi začala zamlouvat.

Co když si někdo udělá bumerang nebo oštěp sám?

To mohou jenom muži. Ti už znají obřady, které se při tom musí vykonávat.

Ale vy, kluci, si taky vyrábíte zbraně.

No jo, ale to nejsou pravé zbraně, to je jenom tak, ale tohle, poklepal na malý bumerang za pasem, to už je pravý wongal, to pro mě udělal Tommyho táta, a ten se v tom vyzná. Až na něco narazíme, ukážu ti, jak lítá, dodal pyšně.

Jak ty tohle všechno víš?

Tak, od kluků ze školy, pokrčil rameny.

Došli jsme k malému splavu, přes který ležel jinajina strom. Při povodni se zachytil mezi balvany a když voda opadla, zůstal viset nad hladinou.

Tady to přejdeme, navrhl jsem.

Vylezli jsme po skále ke kmeni, ale dál už to nebylo tak jednoduché. Strom byl mladý a úzký. Větve z něj trčely na všechny strany a zblízka nevypadal tak pevně. Borek přešel první. Lehce se propletl mezi větvemi a na druhé straně seskočil. S mými osmdesáti kilogramy to už nebylo tak lehké. První pokus ztroskotal úplně. Musel jsem se vrátit a hodit Borkovi tašku s jídlem, ale ani potom to nebylo o moc lepší. Strom se pod mou tíhou prohýbal a sténal. Posledních deset stop jsem raději přeběhl.

Ještě chvíli jsme šli podél potoka a pak odbočili na východ. Terén tu byl mnohem drsnější než na naší straně a co chvíli jsme museli obcházet neprostupné houštiny. Dával jsem si pozor, abych dodržoval směr a slunce mi neustále svítilo na levou tvář. Až se budeme vracet, musí mi svítit na pravou. Nemohl jsem si dovolit, abych s Borkem zabloudil, Jůžin by mě zabil.

Putování bylo teď mnohem namáhavější, ale pořád jsme si vyprávěli. Borek mi ukazoval stopy zvěře a četl je. Ukázal mi stopy wallabies a věděl, jak byly staré. Kdejakého ptáka znal podle jména. K polednímu jsme narazili na porkypina, ale než jsme se rozkoukali, ježatec se zahrabal do země. Borek toho upřímně litoval. Tvrdil, že porkypine má nejchutnější a nejšťavnatější maso na světě.

Potom se mu podařilo srazit bumerangem holuba. Utábořili jsme se na velké mýtině a rozdělali oheň. Chtěl jsem holuba oškubat, ale Borek se mi vysmál.

Ti se neškubají, jenom ho vykuchej a hoď na oheň!

Oběd byl krvavý a pták se mi zdál napůl syrový, ale Borkovi chutnal. Okousal jsem trochu maso, abych mu udělal radost, a s chutí se pustil do obložených chlebů. Po obědě jsme se napili z louže poblíž. Voda byla čistá, ale teplá a nechutnala mi.

Borku, řekl jsem, chvíli si odpočineme a pak půjdeme zpátky, co říkáš?

Neříkal nic. Strnule seděl, oči upřené jedním směrem.

Co je?

Někdo nás pozoruje, zašeptal.

Ohlédl jsem se.

Nedívej se tam! řekl a oči mu nadšeně zaplály. Same, můžu se jít podívat, kdo to je?

Něco se ti zdá, kdo by tu byl?

Nezdá. Tak můžu?

Radši ne, ještě se ztratíš.

Neztratím.

Kdyby se ti něco stalo, víš, co by mi udělal tvůj táta?

Nic se mi nestane, půjdu oklikou, aby mě nikdo neviděl. Strejdo, prosím tě!

No, zaváhal jsem, ale jenom kousek a hned zpátky!

Pochybuji, že mě slyšel. Čekal jen na mé přikývnutí a hned vyrazil. Chytře vyšel opačným směrem a za nejbližší houštinou se obrátil. Skloněn proběhl půdní depresí a zmizel. Bylo ticho. Zapálil jsem si cigaretu a pohlédl na zbytky jídla opodál. Obrovští mravenci meat ants* už na nich hodovali a sbíhali se v proudech, až se listí na zemi třáslo. Myslel jsem na to, že se s touhle zemí nikdy nesžiji. To, co mi nabízí, neumím přijmout. I když se snažím. Holuba jsem jedl s odporem a nebýt Borka, asi bych se byl masa vůbec nedotkl. Voda, na konci mokré sezóny tak štědře nabízená, je pro mne příliš teplá a neuhasí mou žízeň. Nevydržím ani celý den na slunci, spálil bych se. Nejsem zkrátka pro tuhle zemi stvořen. Pohlédl jsem na své zubožené nohy, špinavé a otlučené od kamenů. Je to jako s jazykem. Anglicky jsem se naučil dobře, neudělám chybu, ale cizí přízvuk mám pořád. A i když je to rok od roku lepší, nikdy se ho nezbavím. S člověkem se to zkrátka láme pořád, ale úplně se to nezlomí nikdy...

Z přemýšlení mě vyrušil Borek. V předklonu proběhl depresí za houštinou a pomalu vyšel. Šel ležérně, co chvíli kopl do kamenu a vůbec hrál divadlo. Musel jsem se smát.

Co jsi našel, skautíku?

Sedl si na bobek a oči mu svítily vzrušením.

Jsou dva, oznámil, sedí za tou velkou mýtinou a pozorují nás. Jeden má dalekohled.

To mě překvapilo. Domorodci?

Zavrtěl hlavou. Jsou z Bratrstva, jeden má na sobě hábit a oba jsou holohlaví.

Z bratrstva, zamumlal jsem, kdo by to mohl být?

---

* dosl. masomravenci

Nevím, byli dost daleko a nemohl jsem přes mýtinu, aby mě nezpozorovali. Seš si jistej, že o nás vědí?

A co ten dalekohled? Celou tu dobu tě pozorovali, vsadím se, že se dívají i teď.

No dobře, tak se podíváme, kdo to je!

Pomalu jsem vstal, zasypal oheň a připravil se k odchodu. Pak jsme jako odešli, ale za houštinou jsme provedli Borkův trik a zalezli do půdní deprese. Nebyla hluboká, byl to jen zlom v povrchu, ale když jsme si lehli, nebylo nás vidět. Nečekali jsme dlouho. Za chvíli se objevily dvě postavy. Šly opatrně a hleděly směrem, kterým jsme odešli. Když přišly blíže, poznal jsem Věšáka s Bimbamem. Došli až k louži a zastavili se.

Kurva, zaklel Bimbam, já bych pil, až bych plakal. Poklekl k vodě a napil se.

Netušil jsem, že to bude tak daleko, odvětil Věšák a také poklekl. Oba pili hltavě a rychle.

Pojď, řekl Věšák, nejsem žádnej stopař, nesmíme je ztratit. Vstali a oprášili si kolena.

Pak nás Věšák objevil.

Tak pojď, řekl Bimbam.

Nikam nechoď, jsou tady, podívej!

Věšák mířil ukazováčkem přímo na nás. Vstal jsem a přátelsky se zašklebil.

Máš dobré oči, Věšáku. Proč nás stopujete?

Také se zašklebil: Hrajeme si...

Na co?

Pokrčil rameny.

Ty to moc dobře víš, zaútočil Bimbam, nedělej ze sebe blbce! Přestal jsem se šklebit.

Počkej, chlácholil ho Věšák, sedneme si někam do stínu a všechno Samovi vysvětlíme.

Moc se mi to nelíbilo, ale souhlasil jsem. Přešli jsme k houštině a usedli.

Kam jste šli? zeptal se Věšák.

Nikam, jen tak. Kam vy?

My šli za váma... kdybys náhodou měl namířeno, kam jsem si myslel...

A myslel sis?

Však ty víš, skočil mi do řeči Bimbam, do údolí nočních papoušků!

Musel jsem se zasmát: Náhodou jsem tam namířeno neměl.

Nepovídej, někde tady to bude.

Jak to víš?

Věšák byl chytřejší než Bimbam a dedukoval logicky.

Vzal jsi s sebou Borka a musíš se teda do večera vrátit. Je poledne, nejvyšší čas, aby ses otočil a šel zpět. Údolí je někde tady... ukázal rukou na okolní hřebeny skal.

Dobře promyšleno, pochválil jsem ho, ale co když jsem do údolí nešel?

Kam bys šel jinam? Nic jiného zde není a nikdo nechodí do buše jen tak.

Já třeba jo.

Hovno chodíš! vybuchl Bimbam. Já ti něco řeknu. Seš vobyčejnej hajzl. Moc dobře víš, že potřebujeme peníze, jinak je Duhové údolí v prdeli, tak proč si stavíš hlavu?

Kdybych měl peníze na záchranu údolí, tak ti je dám, ale nemám.

Dal bys hovno, seš chtivej a chceš všechno jenom pro sebe, tak je to.

Same, skočil mu Věšák do řeči, jeden, dva párky nočních papoušků, a jsme všichni v ranci...

Tisíc dolarů nás nevytrhne, řekl jsem jízlivě.

Pronikavě na mne pohlédl: Tisíc ne, ale třicet nebo šedesát ano, a netvař se tak hloupě, moc dobře vím, že sis cenu zjistil.

To mě uzemnilo, jak to mohl vědět?

Tak proč si mi nabízel jenom tisíc?

Na tom nezáleží, mávl rukou, můžu ti to vysvětlit později, ale zlý úmysl v tom nebyl, to mi věř. Teď chci jen vědět, jestli nám řekneš, kde to údolí je. Uvědom si, že nejde o nás, jde o naši farmu!

Nemůžu, fakt ne, dal jsem slib.

Komu?

Ani to ti nemůžu říct.

Ty parchante! zařval Bimbam. Komu si to řek? Kdo ještě o údolí ví?

Po tom ti je hovno.

To už Bimbam nevydržel. Vyskočil a vrhl se na mne. Stačil jsem vstát, ale udeřil mě do úst. Nečekal jsem to a náraz mě porazil. Padal jsem na zem, bezděky rozhodil ruce a Bimbam mi skočil na prsa. Cítil jsem jeho kolena nejprve na plecích, ale než jsme dopadli, svezl se trochu doleva a celou vahou mi padl na paži. Prudká bolest mi projela ramenem. Ještě jsem viděl, jak zvedá ruku, aby mě znovu udeřil, ale rány jsem se už nedočkal. Zalila mě šedivá mlha a omdlel jsem.

Strejdo, strejdo, kvílel nade mnou dětský hlas. Někdo mě polil vodou. Stékala mi po obličeji na krk a příjemně chladila v zátylku. Otevřel jsem oči a pokusil se vstát. Zaškubalo to v rameni, až jsem zasténal. Bimbam s Věšákem seděli opodál a pozorovali mě.

Strejdo, já ti pomůžu, řekl Borek.

V očích měl slzy a od pláče rozmazanou špínu po tváři.

Tak jo, pokusil jsem se o úsměv, strkej mě zezadu, ale jenom na téhle straně.

Obešel mě, zasunul ruce pod zdravé rameno a vší silou zatlačil. Nechtěl jsem ho zklamat, zaťal jsem zuby a posadil se. Nebylo to tak hrozné, mohl jsem ohnout ruku v lokti a když jsem ji přitiskl na prsa, dařilo se udržet bolest pouze v rameni. Pomalu jsem vstal. Věšák s

Bimbanem si vyměnili pohledy a Bimbam také vstal.

Bori, řekl, maž domů!

Nikam nepůjdu!

Hni sebou, nebo ti napráskám..

Myslel to vážně, byl nasupený a vraštil obočí.

Tak běž, pobídl jsem Borka, my si tu popovídáme a já tě pak dohoním.

Nechtělo se mu. Neochotně se obrátil a popošel do bezpečné vzdálenosti. Tam se otočil.

Jen běž dál! křikl Bimbam. Borek zavrtěl hlavou.

Táhni!

Zase zavrtěl hlavou. Bimbam se k němu rozběhl, ale Borek nečekal a rozběhl se také. Sotva se Bimbam zastavil, zastavil se i on. Několikrát se to opakovalo, ale se stejným výsledkem. Jakmile se Bimbam začal vracet, Borek ho následoval, udržuje si bezpečnou vzdálenost. Bylo vidět, že mě neopustí. Nakonec to Bimbam vzdal.

Hajzl, povzdychl si. Přistoupil ke mně a zeptal se: Tak co, nemrzí tě, žes mi o údolí neřekl po dobrém?

Mrzí mě, že jsem ti nedopřál lepší rvačku. Nezlob se, ale zlomils mi ruku příliš brzo.

Vůbec ho to nerozesmálo. Zachmuřil se a lehce mě udeřil do zraněné paže. Teď zase nebylo do smíchu mně. Zařval jsem bolestí.

Tak kde je to?

V prdeli.

Praštil mě do obličeje až jsem upadl a rameno se mi rozcukalo do nepříčetné bolesti. Padl jsem tentokrát na břicho a zoufale se snažil podjet zdravou rukou pod tělem, abych ulehčil rameni. Jak jsem ji pod sebe sunul, dotkl jsem se tašky s jídlem. Pistole, prolétlo mi hlavou. Zapomněl jsem na bolest a nahmatal zbraň.

Ty holomku, syčel nade mnou Bimbam, já to z tebe dostanu, i kdybych tě tady měl umučit!

Přes zdravé rameno jsem se otočil na záda a zamířil na něj. Chvíli mu trvalo, než si uvědomil, co se stalo, a pak mu poklesla brada. Olízl jsem si vyprahlé rty.

Pomalu ustupuj dozadu, řekl jsem chraplavě, protože jak se hneš jiným směrem, tak tě zastřelím.

Beze slova začal ustupovat. Když se mi zdálo, že je v bezpečné vzdálenosti, namáhavě jsem vstal, aniž bych na něj přestal mířit.

Co je? zeptal se Věšák. Pak uviděl pistoli. Zarazil se, ale hned našel rovnováhu.

To je teda překvápko, prohlásil, kdes to vzal?

Drž hubu, nařídil jsem mu.

Ale, Same, přece bys nás nezastřelil? Já vím, Bimbam to přehnal, však jsem mu říkal, aby to na tebe nezkoušel, ale...

Drž hubu! zařval jsem. Teď mluvím já a jestli se ti to nelíbí, začnu střílet.

To zapůsobilo. Věšák zmlkl, ale nezalekl se, to jsem poznal. Klidně stál a se zájmem mě pozoroval.

Same, ozval se za mnou náhle Borek, zastřelíš je?

Měl bych, ale neudělám to.

Já bych je zastřelil, prohlásil tvrdě, aspoň Bimbama.

Jestli nás budou ještě sledovat, tak to udělám, slíbil jsem. Pak jsem nařídil, aby sebral tašku se zbytky jídla a beze slova jsme se vydali na cestu zpět.

Dávej bacha, řekl jsem, když jsme byli z doslechu, jestli za náma nejdou. Nemůžu se pořádně otočit, tak spoléhám na tebe.

Bez obav, ale nemoh bych..., líp by se mi hlídalo... nemoh bych nést pistoli? Určitě by je to postrašilo, řekl vážně.

Pistoli? Proč ne?

Byla těžká, rád jsem mu ji přenechal.

Teda páni? zajásal. To je senzace! A tys byl taky senza,

jak jsi na ně mířil. To jim teda vyrazilo dech. Jestli za náma půjdou, můžu po nich vystřelit?

Zavrtěl jsem hlavou.

Nestřílí to...

Nestřílí?

Není nabitá. Nemám do ní náboje.

No tohle, řekl užasle, tohle je úplná senzace! Počkej, až to řeknu klukům ve škole, ti budou zírat!

Neposlouchal jsem ho. Napadlo mne, že jsem si udělal mnoho nepřátel. Nějak rychle. Nejprve Mafia, teď Bimbam s Věšákem, a co Bratrstvo? Jestli jim Věšák řekne, proč mě bili, a nějak to vysvětlit musí, co jim řeknu? Že jsem slíbil starému černochovi, že o údolí nikomu nepovím? Pochybuji, že by mně rozuměli, a i kdyby, stačilo by jim to? Vždyť zde jde o záchranu Duhového údolí. Stačí, aby Věšák prohlásil, že já jsem ten lump, kterej by moh získat peníze na podplacení Watkinse, a bude mě nenávidět celé Bratrstvo. Po prvé mi došlo, že jsem se tu střetl s mocí. S mocí organizace. O Bimbama nešlo. S tím jsem si to mohl vyřídit po svém. Až se mi zahojí ruka, jednoduše si na něj někde počkám a zase ho zrychtuju já.

Nejlepší by bylo, kdybych jim o papouščích řekl. Konec konců, co by se stalo? Věšák by chytil několik párků, získal peníze a možná, že i na mně by něco zbylo...

Úplně jsem zapomněl na Marii. Ta by mi dala! Ostatně nejde o ni, jde přece o mne. Už si zase lžu a nevidím věci tak jak jsou... Nejsem sám, mám i přátele. Je tu Pavel, Jůžin, a třeba mě pochopí i někdo z ostatních, jen se nebát. Pravda, tím si všechno ulehčuju, tahám do toho kamarády...

Pavel teď žije v Kapličce, co když nebude na mé straně, co když bude věřit jim? A i kdyby věřil mně, co když se bude bát? A hrůza hrůzoucí, co kdyby se Bratrstvo rozhodlo jít i proti Marii? Prostě mě přes ni vydírat? Polil mě studený pot.

Ne, to vidím moc černě, to by si nedovolili. Ale na dně mých myšlenek byla jistota, že toho jsou schopni. Pevně jsem se rozhodl. Hned zítra si koupím náboje.

Jůžin přestal pít. Opravdu přestal pít. Byla to dalekosáhlá změna, ale navenek se nijak neprojevovala. Pořád to byl on, samá legrace a vtipy. Přihlásil Borka do fotbalového klubu a obětavě s ním jezdil na tréninky. Nebyla to oběť malá, musel jezdit dvakrát týdně do Port Douglasu a v sobotu i dál, podle toho, kde mužstvo zrovna hrálo, ale dělal to rád. Nejvíc se těšil, až Borek dá gól, jenže Borek nebyl fotbalista. Byl ze všech nejrychlejší, ale chyběly mu čtyři roky tréninku, kterým prošli jeho noví kamarádi.

To všechno přijde, tvrdil Jůžin, já ho vytrénuju. Nezapomeň, že jsem hrával za Bohemku. Já ho naučím kličky, vo jakejch se v týhle zemi nezdá ani vysloužilcům z Anglie.

Statečně syna trénoval. Prakticky každou volnou chvíli, a těch měl najednou požehnaně. Při cestě z práce se už nestavoval "na jedno" v pubu na dvaadvacáté míli, ale pospíchal domů a jen občas se zastavil v obchodě, aby koupil Evě květiny. Eva si toho vážila, myslím až moc. Byla šťastna a nijak se tím netajila, jen jediné jí chybělo. Jůžin se úzkostlivě vyhýbal jakémukoliv hovoru o věcech duchovních.

Duchovno je na hovno, tvrdil.

Marně ho Pavel přesvědčoval. Dopadneš jako Baba, varoval Jůžina, ten taky slyší jen to, co chce. A to je ze všeho nejhorší. Kdyby nám Baba naslouchal, kdyby s náma debatoval, místo aby nás pořád jen usměrňoval, válelo se mu dneska u nohou celý Duhový údolí.

A nevállí se snaď? odvětil posměšně Jůžin.

Ne celý! Třeba ty a Sam...

Dva blázni se najdou vždycky, mávl Jůžin rukou, a všude. To jsou jen slova, slova, slova...

Slova jsou někdy mocnější než...

Než hovno! rozčílil se Jůžin. Co to kecáš. Vem si třeba pozdravy. Takový blbý "Buď zdráv". Kdysi to muselo mít ten význam, ale časem se z nás staly kurvy a dneska i docela slušnej člověk je schopen přát zdraví úplnýmu lumpovi, kterýho by nejradši viděl pod drnem.

Třeba ten význam zvětral časem.

No vidíš. Pokud slova ztrácejí svůj význam, pak jenom meleme pantem. Nejlepší by bylo, kdybysme se přestali zdravit.

Proč by ses nedokázal pobavit s Evou třeba vo tomhle?

Páč nechci, aby dopadla jako vostatní, stačí, když se vo tom musím bavit s tebou.

Jenže jí to chybí. Ta tvoje druhá strana, ta vážná a přemýšlivá...

Žádnou nemám a ani mít nechci.

Proč?

Copak to nevidíš? Dva tisíce let jsme se od židů učili mesiášství, a tohle je výsledek. Každej si hraje na spasitele a kecá a kecá, že už ani neslyší, co říkají ti druzí. Tisíce malých mesiášů se valí Evropou a kdo se nedá spasit, toho vodrovnaj. Ani Boha k tomu nepotřebujou. Proto jsem taky v Austrálii a ne tam. A zrovna tady se najde jeden takovej mesiášek a všechny nás zblázní. To jsem fakt moh zůstat doma.

A proč by ses vo tom nepobavil s Evou?

Žena, chlapče, patří do kuchyně. Ne, abys jí to řek, ale je to fakt. Nejdřív chtěla, abych přestal pít, že to je základ našich potíží. Teď jí vadí, že se s ní nebavím o duchovnu, a kdybych začal, začne jí vadit něco jiného. Třeba to, že pořád kecám a málo souložím, že bych se na to nevysral...

Přijeli dělníci ze správy, aby zbořili Jůžinův dům. Přijeli řádně ohlášeni, ale bez buldozeru. Baba okamžitě shromáždil své ovečky a celé Bratrstvo se nastěhovalo před Jůžinův dům. Všichni se chytili za ruce a udělali živý řetěz, ale ke střetnutí nedošlo. Ze skupiny dělníků se vynořil policajt a vyzval nás k rozchodu. Byl to seržant Stevenson, který se v Kapličce pokoušel o Evu. Odpověděli jsme hlasitě. Někteří i nadávali. Sprostě.

Stevenson po nás jezdil zlobně očima, jako by se snažil zapamatovat si naše obličeje, ale jinak nezakročil. Když výzvy k rozchodu nepomohly přečetl dekret správy a upozornil na maření výkonu úřední moci. Pak pokynul dělníkům a všichni odjeli.

Přátelé, řval radostně Jůžin, všechny vás zvu na ovocnou šťávu!

Jdi do hajzlu se šťávou, odpověděl dav.

No dobře, tak si u mne můžete zapálit marjánku...

Šetři šťávou, řekl Baba, tohle byla jenom předehra, to hlavní nás teprve čeká...

Jůžin neodpověděl. Z hloubi duše Babu nenáviděl, ale nemohl si dovolit to ukázat. Jenže Baba měl pravdu, byla to jenom předehra.

Několik dní se nic nedělo a pak dostal Věšák echo od svého kontaktu na správě. Nedovedl jsem si představit, kdo mu je dal, ale ať to byl kdokoliv, musel být hodně vysoko. Tak jsme stačili zorganizovat Babův plán. Z Port Douglasu jsme pozvali jen zástupce levicového plátku, protože byly obavy, že z místní televize by mohl někdo plán vyzradit. Z Brisbane nepřiletěl nikdo, ale ze Sydney poslali dva novináře a kameramana. Vybudovali jsme pro ně pozorovatelnu na stráni naproti domu a dobře ji zamaskovali.

To ráno, kdy měli dělníci přijet, přišlo celé údolí k Jůžinovi už za svítání. Sedli jsme si před domem a mlčky čekali. Byl klid, nikdo nepanikoval a Baba udílel poslední rozkazy. Připadali jsme si jako armáda před bojem a naši nejistotu prozrazovalo nervózní kouření.

Útok začal přesně v sedm. Nejprve přijela policejní Toyota a hned za ní nákladní auto s traktorem. Konvoj uzavíral malý autobus, z kterého vyskákali fízlové a bleskově přistavili rampu pro traktor. Bylo vidět, že v tom mají praxi. Traktorista nebyl policaj a byl v civilu. Opatrně sjel s náklaďáku po rampě, zvedl hydraulické rypadlo upevněné před traktorem a pomalu je spustil. Pak vypnul motor.

Policajti se seřadili, urovnali si dlouhé obušky u pasu a dali si pohov. Bylo jich čtrnáct.

Odněkud se vynořil seržant Stevenson a vyšel před řadu. Pomalu se jal předčítat evikční oznámení. Ječivý tón jeho hlasu mi připomínal vyřvávání důstojníků před nastoupenou jednotkou, ale tentokrát měl jednotku za zády a křičel na civilisty. Jinak bylo ticho. Když skončil, dal pokyn traktoristovi.

Počkejte! ozvalo se náhle. Nemůžeme se dohodnout jako lidi?

Ze zástupu Bratrstva se vynořil Pavel.

My se nemáme o čem dohadovat, odpověděl Stevenson, na to jste měli dost času.

Měl byste nás vyslechnout, my jsme vás také vyslechli.

Jsou to fašisti! vykřikl někdo.

Že se nestydíte, přidal se druhý, na nás chcete, abysme poslouchali, ale sami na nás jdete s pendrekama.

Stevenson znervózněl. Pokynul strážníkům, ale ti nerozhodně přešlápli.

Tak dobře, vyštěkl, vyslechnu vás, ale uvědomte si, že vám to nepomůže, mám své rozkazy.

My vás zveme, řekl Pavel, abyste si šli prohlédnout

dům, který chcete zbourat. Dům má záchod se septickým tankem, tři obyvatelné místnosti s kuchyní a je postaven solidně, bez jakéhokoliv stavebního či zdravotního rizika pro obyvatele. Je to "kit-home", který se prodává po celém státě a jehož plány byly schváleny stavební komisí tohoto státu...

Nejde o dům, zařval Stevenson, ale o místo, na kterém stojí.

V tomto státě, nedal se Pavel, nestojí ani jeden dům přesně tam, kde vyznačují plány. Některé jsou postaveny jen o pár palců mimo označené místo, některé, jako správa, dokonce o yardy, a...

Ale tohle jsou míle a míle!

No a? Neexistuje vyhláška, která by určovala, jak daleko musí dům stát, aby byl zbořen.

Kolem Pavla se utvořil kruh. Na jedné straně strážníci a na druhé obyvatelé Duhového údolí. Rozproudila se debata, ač značně jednosměrná. Zvláště ženy v tom vynikaly. Přece byste nás nebili - tvrdily, máme děti a jestli nám zboříte domy, kam půjdeme? Všichni jsme přece lidé, bratři, máme jednoho Boha!

Pod takovým ideologickým náporem začali strážníci kolísat.

Přijeli sem s docela jasným úkolem a tohle nečekali. Bylo jim řečeno, že jedou rozbít hubu několika hipíkům, kteří se staví do cesty zákona, a zatím se na ně lepily ženy s dětmi a apelovaly na jejich lidské cítění. Morálka rychle klesala. Seržant Stevenson nervózně pozoroval tu zkázu.

Tak dost! zařval. Okamžitě se všichni rozejděte a nezabraňujte výkonu úřední moci!

A co když se nerozejdeme, miláčku?

Budu nucen jednat...

Jak? zeptal se Pavel. Zastřelíš mne?

Mám své rozkazy...

Slyšeli jste ho? ozval se Jůžin. Má rozkaz ho zastřelit. Všichni jste svědkové, že řek, že má rozkaz ho zastřelit...

Vtom někdo hodil kámen. Koutkem oka jsem zahlédl, jak trefil jednoho z policajtů. Vypukla panika a okamžitě se rozpoutala rvačka. Ženy popadly děti a vyklidily pole. Utíkal jsem do stráně ke skryté kameře, ale nikdo za mnou neběžel. U kameramana jsem se zastavil a sedl si na bobek. Utéci jsem musel. Jednak jsem měl ruku na pásce, a také, a to hlavně, pod košilí jsem měl za pasem pistoli. Dovedl jsem si představit, co by se stalo, kdyby mě chytili. Schoval jsem se za strom a pozoroval dění dole.

Lidé pod jedním Bohem i pod obojí se mydlili hlava nehlava. Brzy bylo jasné, kdo zvítězí. Obušky v trénovaných rukách měly převahu. Kdo neutekl, byl zatčen. Bylo mi do pláče. Vedle bzučela kamera. Jistě zachytila i můj útěk. Jaké štěstí, že tu nebyla Marie. Fízlové mezitím vyčistili prostor pro traktor. Seržant Stevenson pokynul traktoristovi a ukázal na dům. Bylo to jednoznačné gesto vítěze. A tu se stalo něco neočekávaného.

Polib mi prdel! křikl traktorista. Já jsem byl zjednanej na práci a ne na ničení. Kdybych věděl, vo jakou kurvárnu jde, tak jsem tě poslal do prdele už v Port Douglasu a mohli jsme si všichni ušetřit spoustu času.

Rozzlobený muž nastartoval traktor a zvedl rypadlo. Elegantně se na trávníku otočil a odjel.

Stevenson ho pozoroval s otevřenou hubou, ale rychle se vzpamatoval. Vztekle švihl obuškem a rozkázal mužstvu, aby barák rozbilo. Šel příkladem. Vrhl se k domu a prokopl papundeklovou stěnu na verandě.

Natočils to? zeptal jsem se kameramana.

Přikývl, ale nepřestal filmovat.

Dej mi kazetu! přikázal jsem.

Není dotočená, odpověděl šeptem.

To nevadí, dej mi ji, nebo o ni přijdeš.

To zapůsobilo. Přestal filmovat a tázavě se na mne podíval. Musel jsem mu to rychle vysvětlit.

Vyňal kazetu z kamery, dal tam novou a klidně pokračoval v práci. Vyskočil jsem z úkrytu a sešel na vzdálenost, kde mě chtěl mít.

Stevenson! zařval jsem.

Všichni se otočili.

Vím, že máš svý rozkazy, řval jsem, ale pochybuju, že někdo přikázal, aby policie bořila baráky. Jestli to uděláš, jistě tě potěší, že ta historická událost bude zachycena na filmu.

Ukázal jsem za sebe a kameraman i oba novináři si stoupli. Byla to impozantní podívaná. Dva muži s fotoaparáty a jeden s obrovskou kamerou na rameni. Chtěl jsem je představit, něco jako ... za sedmý sydneyský kanál pan McGuire atd, ale nebyl na to čas. Stevenson se rozběhl do svahu.

Otočil jsem se a upaloval také. Měl jsem slušný náskok a nevěřil jsem, že mě chytí. Ale nepokoušel se o to. Když jsem se na vrcholu kopce ohlédl, stál u novinářů a tahal se s nimi o kameru.

Pak policie odjela.

Z buše se začali scházet vítězové. Mnozí měli šrámy z přestálé bitky, ale nezdálo se, že by jim to vadilo.

Vyhráli jsme! volal někdo.

Vyhráli jsme hovno! odporoval druhý. Odvezli pět lidí.

Kdo chybí?

Pavel, Bimbam, Philip... začal někdo počítat.

Vybajlujeme* je ještě dneska. Nic podstatného proti nim mít nemůžou, tvrdil Jůžin. Počítám, že víc jak tři až

---

* vyplatit kauci

čtyři kila to stát nebude, a to dohromady dáme, ne?

Dáme, souhlasili ostatní.

Nálada byla celkem radostná. Hlavně kvůli filmu, který se podařilo zachránit.

Kdy se to bude dávat? ptali se lidé kameramana.

Nejpozdějc do týdne, odpovídal sebevědomě, tohle je prvotřídní materiál!

Pak se vše ztišilo a do davu přivedli Babu. Krystýna s Jo-Anne ho podpíraly z obou stran a vůdce kráčel bolestivě. Přes tvář se mu táhlo jelito od pendreku a Baba tiše plakal.

Co se stalo? ptali se nejblíže stojící.

Kopli ho do vajec, odpovídala Krystýna.

Dav soucitně zavzdychal. Opodál stojící Jůžin si před Evou klekl a obrátil oči k nebi.

Tak přece jen je na světě nějaká spravedlnost, volal radostně, vode dneška věřím v Boha...

Bylo poledne. Odložil jsem lopatku a rozdělal oheň. Na čaj. Sedl jsem si, pozoroval plameny a přemýšlel. Rameno nebylo zlomené, jen vykloubené. Nosil jsem ruku na pásce, ale jinak mi to v pohybu nevadilo. Výhoda byla, že jsem dostal šest neděl volna a nemusel do práce. Bylo mi krásně. Přes den, kdy byla Marie ve škole, jsem dělal hliněné cihly a za karavenem přistavoval dílnu. Šlo to pomalu, ale nestěžoval jsem si. Práce mě bavila. Marii zase bavilo zahradničení. Jak přišla ze školy, hned se pustila do záhonů. Koupila dva plastické sudy a vyráběla aerobický kompost. Chodil jsem jí na trávu, aby rychle přibýval. Také jsem pro ni vyrobil ruské váhy se džbery přes rameno a Marie v nich nosila vodu z Jalboie.

Plánoval jsem, že až ušetřím, natáhnu trubky přímo z potoka a koupím malé čerpadlo. Plánů jsem měl hodně.

Uvažoval jsem i o stavbě domu. Televizní střetnutí mezi občany Duhového údolí a místní policií mělo odezvu nejen v Sydney. Postupně přebraly filmový šot všechny stanice a v Port Douglasu se promítal dokonce dvakrát. Do případu se zamíchala i vláda a Alderman Watkins zastavil jakékoliv akce správy až do přešetření případu. Proslýchalo se, že postavené domy budou nakonec schváleny, ale nové stavby nebudou povolovány. Znělo to věrohodně. Několik majitelů karavanů se dalo urychleně do práce a stavěli nové základy. Bál jsem se, abych nepřišel zkrátka.

Voda začala vřít. Odtáhl jsem kotlík. Za karavanem se něco šustlo a vynořil se Bimbam. Okamžitě jsem vstal. Pistoli jsem měl uvnitř, pod postelí, ale než jsem se rozhodl něco udělat, objevil se Pavel. Trochu mě to uklidnilo. Předpokládal jsem, že kdyby k něčemu došlo, bude na mé straně.

Ahoj, pozdravil, tak mám dojem, že jsme přišli akorát. Nepozveš nás na čaj?

Nemám tu hrníčky, co chcete?

Jsou uvnitř? Já je přinesu, nabídl se.

Sedni si, přinesu je sám, řekl jsem rychle.

Obešel jsem karavan, abych se vyhnul Bimbamovi, a vstoupil dovnitř. V kuchyni jsem sebral dva hrníčky a zpod postele vytáhl pistoli. Bimbamovi nebylo radno věřit, a co když se už do karavanu nedostanu? Jenže jsem byl jen v trenýrkách a nemohl zbraň schovat. Připadalo mi trapné objevit se před nimi s nádobím v ruce a s pistolí za pasem. Chvíli jsem uvažoval a pak ji znovu dal pod postel, ale venku jsem si sedl tak, abych neměl od karavanu odříznutou cestu. Pavel udělal čaj a chvíli jsme mlčky srkali.

Nemáš to tu špatný, řekl Bimbam, tos postavil sám?

Podíval jsem se na základy dílny a přikývl.

To bych do tebe neřek, kde ses to naučil?

Tak, různě. Je to mý hobby.

A co dělá Marie? zeptal se Pavel.

Ta zase zahradničí, chceš se podívat?

Tak to má být, chválil Bimbam, každý má mít nějakýho koníčka. Já na příklad studuju fyziognomii lidskýho těla...

Proto si mě tak šikovně vykloubil rameno?

Ne, usmál se, to byla náhoda. Kdybych ti chtěl ublížit, vybral bych si citlivější část těla.

To jsem měl teda hrozný štěstí, žes mě nekop do kulí.

Nestuduju tělo jenom proto, abych věděl kam koho kopnout. Studuju také Tai-či, Shi-luo-dou a medicínu obecně. Můžu ti říct, že nemáš varlata zavěšena v pytli, aby se do nich lépe kopalo, ale aby se ochladila. Spermiím nejvíce vyhovuje teplota pětatřiceti stupňů, ale teplota tvého těla je třicet sedm. Proto jsou od těla oddálena. To jsi nevěděl viď?

Pokrčil jsem rameny: Já tělo nestuduju. Buď se mi líbí nebo ne. Momentálně by mě zajímalo, proč jsi za mnou přišel. Přece jsi mi nepřišel vykládat, proč a na co mám pytlík?

Přišel jsem se omluvit. Fakt jsem ti nechtěl vykloubit rameno. Byla to náhoda a pak jsem se nechal unést. Představoval jsem si, že stačí z tebe dostat to tajemství a budeme všichni zachráněni. Jenže tak to není. Bohužel. Baba mi vysvětlil, že věci jsou mnohem složitější a požádal mne, abych se ti omluvil. V poslední době jsi mezi nás přestal chodit a jeho to velice mrzí. Dneska máme důležitou poradu, přijdou všichni z Bratrstva, neměl bys chybět. Ty ani Marie. Jedná se o naši budoucnost, Věšák má nové zprávy, tak jsem tě přišel pozvat, přijdeš?

Pohlédl jsem na Pavla. Přikývl: Jedná se o důležitou věc, jinak bych sem nešel... Mluvil do země, zdálo se mi, že se mu moc mluvit nechce.

Pavel byl moc hodnej, že se mnou šel, ujal se zase slova Bimbam, myslel jsem, že mi tak budeš víc věřit. Byl to přece tvůj kamarád. Tak přijdeš?

No, zaváhal jsem, uvidím. Uvidím, jak mi to vyjde časově.

Přijď, je to fakt důležitý. A už se na mne nezlob!

To mě dožralo. Vykloubil mi rameno a teď si myslí, že mu padnu kolem krku, když řekne, že to tak nemyslel. A Pavlovi jsem nerozuměl vůbec. Kdyby mi dřív někdo ublížil, šel by po něm jako vlčák, a najednou mu to nevadilo. Naopak. Přišel s ním, aby dělal clonu a usnadnil Bimbanovi omluvu. A vůbec, byla to nějaká omluva, když ho o to požádal Baba?

Co se do toho sereš? řekl jsem česky.

Pokrčil rameny, ale odpověděl anglicky: Nemusíš jeho omluvu příjmout, vůbec bych se ti nedivil. Já tu jsem jenom kvůli tý pozvánce na poradu.

Bimbam se zakabonil a vstal.

Dělej si co chceš, na to máš právo, ale na poradu bys přijít měl, to je věc nás všech.

Uvidím... odpověděl jsem vyhýbavě.

Když odešli, udělal jsem si další hrnek čaje. Na práci jsem neměl náladu. Vrtalo mi hlavou Pavlovo chování. Do očí mi vůbec nepohlédl a většinou mluvil do země. Česky také nechtěl mluvit, jako by se bál Bimbama. Nedovedl jsem si to vysvětlit.

Marie přijela ve čtyři. Řekl jsem jí o poradě a o Pavlovi. Nepřikládala tomu význam.

Něco se ti zdálo, řekla, Pavel je tvůj kamarád. To by mě spíš zajímalo, proč přišel Bimbam.

Baba mu přikázal, to mi je jasný, ale Pavel... to mi nejde do hlavy. Vypadalo to, jako by mi chtěl dát nějaké znamení, nebo mi něco říci...

Kdyby ti chtěl něco říci, aby Bimbam nevěděl, mluvil by česky, ne?

Třeba mu nařídili, aby mluvil pouze anglicky.

Kdo a proč?

Možná Baba, aby moh Bimbam Pavla kontrolovat.

Prosím tě, nemaluj čerta na zeď. Proč by ho měl kontrolovat?

Nevím, řekl jsem. Půjdeme na tu poradu?

Proč ne? Jestli mají nějaké důležité zprávy, týká se nás to taky. Nebo se bojíš?

Čeho bych se bál, urazil jsem se.

Dole na cestě se objevil vůz. Poznal jsem Jůžinovo auto. Vezl Borka na trénink. Jel rychle a vířil husté kotouče prachu. Dojel až k naší odbočce a zastavil.

To je Jůžin, řekl jsem, půjdu se podívat, co chce.

Co je? zeptal jsem se, když jsem k němu došel.

Vezu mladýho na trénink. Borku, stoupni si na brzdu, ať to nesjede. Já chci jenom něco říct Samovi.

Borek si radostně přesedl a šlápl na pedál. Jůžin vystoupil, mrkl na mne a nenápadně podstrčil pod zadní kolo kámen.

Mám pro tebe zprávu, řekl, byl u mne Pavel s Bimbamem.

Museli se u tebe stavit cestou ode mne.

Asi. Pavel říkal, abys na poradu nechodil, že to je bouda.

Jaká bouda?

Co já vím? Mluvil jak cvok. Cedil to mezi zuby, aby ho Bimbam neslyšel.

Proč mi to neřek sám?

Nevím, nechtěl mluvit česky, jenom když Borek toho strašáka zaměstnal, tak něco utrousil. A Borek ho zaměstnával, to mi věř. Pokřikoval na něj a kdybych tam nebyl, asi by začal házet kameny, ale Bimbam taky... nebejt mne, tak mu jich pár vrazil. To by mě zajímalo, co se na tom vašem výletě vlastně stalo?

Bouda na mne?

Hergot, co já vím? Říkám ti, že mluvil jak cvok! Prej, řekni Samovi, ať nikam nechodí, je to bouda. Pak zase ... fakt mu to řekni, de vo krk... tak ti to říkám.

Myslíš, že se Bimbama bál?

To pochybuju. Byli jsme dva, kdyby se kasal, vybouchali jsme ho jak koberec. Spíš se mi zdálo, že mu záleží na tom, aby se Bimbam nedovtípil, že mi něco řek. Tak jsem to hrál s ním, ale choval se teda divně.

Bimbam taky. Představ si, že se mi přišel omluvit a vykládal mi anatomii těla. Víš, proč máš kulky v pytlíku?

Vím, zasmál se, a taky vím na co...

Ne, tak to nemyslel..., musel jsem mu to vysvětlit.

No vidíš, řehtal se a já myslel, aby se líp lízaly. Ale na tu poradu radši nechoď.

Nebojím se!

Tak sem to nemyslel, ale máš to rameno a já tam taky nebudu.

Nějak už to udělám.

Jak chceš, ale nikomu neříkej, že tě Pavel varoval.

Co si vo mně myslíš? Kristepane...

Bacha, usmál se, neříkej to VŮBEC nikomu...

Neřekl jsem to teda nikomu. Kristupánu ani Marii, ale když mi uvázala kolem krku čistý šátek pro zraněnou ruku, vsunul jsem do něj nabitou pistoli. Pro jistotu.

Zase jsme seděli s Marií v Kapličce u okna a pozorovali osazenstvo. Na to, že to byla velice důležitá porada, přišlo málo lidí. Chyběly ženy s dětmi, ale ani muži nebyli všichni. Sešlo se nás všeho všudy dvacet. Z hierarchie Bratrstva tu byli všichni. I Pavel. Seděl stranou od ostatních a roztržitě listoval v papírech před sebou.

Několikrát jsem se pokusil o kontakt, ale pečlivě se

tomu vyhýbal. Hleděl stranou, jako by se bál mého pohledu, a když jsem se k němu pokoušel přiblížit, okamžitě kamsi mizel. Tváří v tvář jsem se s ním setkal ten večer jen jednou. Potkal jsem ho na verandě při příchodu. Ulekaně se rozhlédl a pak zašeptal: Proč jsi přišel? Nebo ti to Jůžin nevyřídil?

Vyřídil, ale proč jsi mi to nemoh říct ty? Čeho se bojíš?

Nemám čas na vysvětlování, ale neměls chodit.

Čeho se furt bojíš? opakoval jsem.

Nejde o strach mávl rukou, ale nechci, aby mě s tebou viděli. Same, já jsem objevil věci! šeptal horečně. A oni to vědí, jen si nejsou jisti, jestli jsem ti něco neřek. Chtějí tě ovládnout nebo se tě zbavit, dneska se to rozhodne. Věšák má špatný zprávy, kdyby se to vymklo z ruky, svedou to na tebe.

Proč?

Kdybys byl jako Jůžin, kterej na všechno kašle, nevadil bys jim. Ale ty ses vzepřel a ještě se do všeho mícháš. Jseš nebezpečnej. Prosím tě, do ničeho se dneska nepleť.

Já se na ně můžu vysrat, tohle je svobodná země.

Není! Duhové údolí není svobodná země. Já jsem přišel na věci, že se budeš divit. Kdybys jenom věděl, kdo je vopravdovej vůdce! Kdybys věděl, co se chystá.

Tak mi to řekni!

Až bude čas. Potřebuju ještě něco zjistit, jinak mi to je všechno houby platný. Ty se drž stranou, nebo se budu muset...

V tu chvíli se ozvaly kroky v hale. Pavel okamžitě odskočil a zmizel za rohem.

Poradu tentokrát zahájil Baba. Mluvil vážně a úplně zapomněl na naši bratrskou mluvu. Žádné bratři a sestry, žádná láska, láska, ale přímo k věci. Požádal všechny o klid a o pomoc. Potřebujeme chladné hlavy k rozumnému uvažování. V poslední době se udály věci, které ovlivní naši budoucnost, ať už se nám to líbí nebo ne. Až vám vše vysvětlíme, pochopíte moji starost. Znovu vás žádám o klid. Tvrdě se na nás podíval a pokynul Pavlovi.

Nejprve naše finanční stránka, zkrátka, jak si stojíme, začal Pavel a rozložil před sebou papíry.

Nejvíce jsme vydělali na ovoci. Do dnešního dne se prodalo za tisíc třistašedesáttři dolarů, vynaložili jsme stosedmdesátšest. Čistý zisk tisíc stoosmdesátsedm. Za to patří dík Georgovi s Jo-Anne, kteří se o ovoce starají, a také Babovi, bez něhož by byl zisk mnohem menší.

Sál zašuměl souhlasem, ale Baba pohybem ruky zjednal klid. Druhým nejlepším artiklem byly knihy. Na knihách se vydělalo šestsettřicet dolarů. Zásluhu na tom má především Eva, která tu není.

Dál jsem ho neposlouchal. Uvažoval jsem, zda přizná zisk za drogy, ale nezmínil se o nich. Připadalo mi, že se trochu stydí, když ohlašoval konečný zisk skoro tří tisíc dolarů, ale mohl jsem se mýlit. Možná byl jen rád, že to má za sebou.

Pak vystoupil Věšák.

Bratři a sestry, začal po staru, nedávno jsme vyhráli souboj s místními autoritami, a nebylo to malé vítězství. Stálo nás nejednu oběť. O to bolestivější je, že vám musím oznámit neradostnou zprávu: Duhové údolí nezachráníme.

Rozpoutal se hluk, ale Věšák toho nedbal a křičel: Příčina je jednoduchá, našel se tu bauxit! Celá naše farma sedí na silné žíle rudy a bude se tu dolovat. Tomu, bohužel, nezabráníme.

To je senzace! zařval Harry. Sme všichni v ranci! Za rudu nám budou muset platit poplatky.

Nebudou, odpověděl Věšák smutně, podle zákona

vlastníku půdy nepatří nic, co je pod zemí. Vláda může klidně udělit dvě licence. Jednu na farmu a druhou na dolování nerostného bohatství pod ní. Majitel půdy nemůže vůbec nic dělat.

Všechno jste posrali! zařval někdo. Co budeme dělat?

Nastal hluk. Baba se zvedl a žádal o ticho, ale tentokrát musel začít hlasitě, do tichého reptání ostatních.

Všechno není ztraceno. Jednali jsme se správou, jsou ochotni nám pomoci.

Kdo vám dal právo dohadovat něco za našimi zády? Jestli s nima něco dojednáte, tak jsme se zbytečně s policií rvali, zařval jsem.

Tak je to! přidali se někteří.

Mlč! zařval Baba. Až vám všechno řekneme, taky dostaneš slovo. Teď poslouchej! Jednali jsme se správou, nabízejí nám farmu, podobnou Duhovému údolí, a zaplatí výdaje spojené se stěhováním. Mají dokonce i příslib od těžní společnosti Albalco, která klejmuje těžní práva, že pro nás převezou i domy. Věřím, že z nich dostaneme i víc, když budeme žádat odškodné.

Kde to je? zeptal se George.

Co?

Ta nová farma.

To nevím, já tam nebyl, ale Věšák ji viděl. Baba se obrátil na Věšáka.

No, je to na jihozápad od Kooloomandy.

To je v úplný prdeli! zahučel Harry. Tam je jenom písek a kamení.

Voda tam není! křikl jsem. Přece nevyměníte Duhový údolí za poušť!

Voda tam je, tvrdil Věšák, je asi deset metrů pod povrchem a Albalco vyvrtá studně. Jsou ochotni nám i asistovat při výstavbě kolektivních budov. Kluci, situace není tak špatná, já věřím, že z nich vytlučeme slušné peníze.

126

Podívejte, nic jsme za vašimi zády nedomluvili, proto se taky scházíme. Když nám řeknete, že se nestěhujem a budem bojovat, budiž. Ale musím vás upozornit, co všechno se dá ztratit. I kdyby nás tady nechali, dolování nezabráníme. Jednoho dne přijedou, pokácej všechny stromy a rozrejou farmu k nepoznání. Nedostanem za to ani dolar! Udělaj z toho ještě horší poušť než u Kooloomandy. Na druhý straně jsme jim udělali pěknej průser, dá se říct celonárodní. Momentálně by se nás rádi zbavili a jsou ochotni za to zaplatit, ať to stojí, co to stojí. Hlavně, když bude klid. Veřejné mínění je na naší straně, zatím, ale veřejné mínění se může změnit přes noc. Nezapomeňte, že v tuhle chvíli můžeme požaovat i jinou farmu, než tu u Kooloomandy. Můžeme žádat něco blíž Port Douglasu, i když by to muselo být menší než Duhové údolí. Osobně navrhuji vyhledat novou farmu, požadovat povolení ji parcelovat, přestěhování existujících nemovitostí, jejich postavení na novém místě a pět tisíc odškodného pro každého podílníka.

To nám nedaj, křikl někdo.

Daj, odpověděl Věšák, jsem si jistej, že po tom skočej, ale je to jenom návrh.

To si můžeme rovnou říct vo patnáct tisíc pro každýho a v klidu se rozejít, poznamenal Harry.

Jak to myslíš?

Vzít peníze a na všechno se vysrat, vysvětlil tázaný.

To nám nedaj, ale deset bysme uhádali, to vím. Věšák se rozpačitě rozhlédl a usedl.

Vstal jsem a odkašlal si.

Sedni si, poručil Baba, debata ještě nebyla otevřena.

Ale byla, mávl jsem rukou, mluvili jste už dlouho, teď je řada na nás. Rád bych vám něco připomněl a na něco se zeptal. Duhové údolí jsme koupili skoro před třemi roky. Malá skupina lidí, která se dobrovolně vzdálila od zkorumpovaného a odcizeného světa. To jsme byli my. Lidé, toužící po lepším systému soužití, než ten, který jsme opouštěli. Duhové údolí byla oáza, daná nám Prozřetelností. Nikdo z nás nehleděl na osobní prospěch, měli jsme své problémy, ale pomáhali jsme jeden druhému a nemysleli přitom na peníze. Byl to úplně nový pocit, pocit sounáležitosti. Něco, co snad cítí jen domorodci ke své zemi. Zkrátka byl to domov. Domov...

Údolí nás stálo dvacet tisíc. Tenkrát to byly velký peníze, ale kdo by je za domov nezaplatil? Teď nám nabízejí dvě stě tisíc, taky velký peníze, a najednou už to domov není. Najednou se máme všeho vzdát a vyjednávat. Jenže o domov se nevyjednává, o domov se bojuje, a tak mě napadá, jestli to kdy domov byl?

Tenkrát mě ovšem nenapadlo, že my všichni jsme sem přinesli právě to před čím jsme prchali. Nevytvořili jsme novou, spravedlivější společnost, ale normální organizaci jako jsou všechny společnosti včetně Albalca. Soudě podle toho, jak rychle jsme ochotni vyměnit domov za něco jiného, zvláště když na tom vyděláme.

Co to kecáš? křikl Bimbam.

Kecám? Tak poslouchej! Dám ti příklad. Duhové údolí je náš domov. Před časem jsme se rozhodli, že to tu trochu vylepšíme a uděláme ovocnou zahradu. Vybrali jsme tu nejlepší půdu, za Kapličkou vykáceli zbytek stromů a navozili superfosfát. Běž se na tu zahradu podívat dneska. Superfosfát je v hajzlu, odplavila ho voda, což by mě tolik nemrzelo, ale voda odplavila také svrchní půdu. Zahrada je teď plná kamení, ztvrdlého jílu, a půda se změnila v prach, který odvane vítr, až přijde suchá sezóna. Rostly tam stromy, byl tam chládek, teď je to vyprahlý úhor, na kterým neporoste nic. Jak se to mohlo stát? Vždyť jsme se mohli poučit od toho Anglána před námi, kterej takhle zničil celou pláň! A já vám řeknu, proč se to stalo. Ani jeden z nás k týhle zemi nic necítí, cítíme jen zisk. Nedovedem si představit, že štěstí se dá získat be peněz.

Drž hubu! ozval se Věšák. Kecáš nesmysly.

Peníze, zisk! Ano, my jsme stavěli zahradu, abychom na ní vydělali! Vzniklo však i něco jiného, mnohem horšího. Před chvílí se tady děkovalo Evě, že nám získala 635 dolarů. Jaksi nevidíme, že to Eva nedělala jenom z lásky, ona si i slušně přivydělala. George se nestaral o ovoce zadarmo, ani Philip o suvenýry. Najednou, kde se vzal, tu se vzal, systém, a je to tu jako venku. Už se tu nepomáhá, ale vydělává, a práci přiděluje nejvýše stojící osoba. Má nás pěkně seřazené podle hodností či zásluh a kdo se nepodřídí, na toho pošle naši tajnou policii, aby mu rozbili hubu, po případě vykloubili rameno jako mně...

To nepřipustím! zařval Baba. Byl rudý v obličeji a hlas mu přeskakoval rozčilením. Nepřipustím, aby nás tu někdo takhle haněl!

Jen ho nech, ozvali se někteří.

Copak nevidíte, že lže?

Tak já ti něco řeknu! Všichni víme, že se tu prodávaly a prodávají drogy. Od trávy* až po prášek.** Řídí to Mafia, a to s tvým souhlasem. Kdyby toho nebylo, dávno jsi ho z Bratrstva vyhnal. Kam ty peníze jdou? Účetní se o nich ve svém rozpočtu ani nezmínil.

Nastalo ticho. Všiml jsem si Pavla. Lehce zavrtěl hlavou, jako by chtěl říci, to jsi neměl. Baba si rychle vyměnil pohled s Věšákem a pak zaútočil.

Drogy se tu prodávají, ale Bratrstvo to nikdy neorganizovalo ani nepodporovalo. Jestli víš, že to organizuje

_____

* marihuana
** heroin

Mafia, proč ho neudáš? Ty bys toho byl schopen... Bratři, nechtěl jsem o tom mluvit, ale teď nemohu jinak. Tento člověk ukázal na mne, je člověk dvojité tváře. Špinavý, závistivý parchant, který mluví o Údolí jako o domovu a zatím byl jediný, který mohl farmu zachránit a odmítl to udělat.

To není pravda! zařval jsem, ale dav na mně nedal. Dychtivě očekával Babovo nařčení a nemínil se o ně připravit.

Drž hubu, napomenuli mě někteří, už jsi toho nakecal dost.

Baba se nadechl a vykřikl: Peníze znamenají hodně, to ano, ale ne pro nás! Jenže co můžeme dělat, obklopeni zkorumpovaným světem? Byla cesta, a možná ještě je, jak zachránit aspoň tuhle malou část farmy, kde jsme se ubytovali. Stálo by to peníze, hodně peněz, ale dá se to udělat, já osobně ručím za úspěch, jenomže kde je vzít? A teď si představte, že Sam objevil údolí plné vzácných parrotů, ze párek nám bylo nabízeno třicet tisíc dolarů.

Shromážděním projel úžas. Baba se významně odmlčel.

A tenhle bratr, řek posměšně, nejenže nám odmítl říci, kde údolí je, ale odmítl i chytit dva párky! Když jsem za ním poslal Bimbama, hrubě ho urazil a pak i napadl. Divím se, že mu Bimbam vykloubil jen rameno, já bych mu zlomil vaz!

Lže! křičel jsem. Přátelé, lže! Cožpak nechápete, že tohle je výprodej? Chce nás dostat z farmy a svádí to na mne.

Ale nikdo mne neposlouchal.

Zlynčovat ho, hajzla! hučel dav.

Začali se po mně sápat. Vytáhl jsem pistoli. Dav se okamžitě ztišil, ale bylo to zlověstné. Cítil jsem, jak mě nenávidí. Potřeba na někom se vybít z nich přímo čišela.

Není nabitá! zahulákal Mafia. Tu pistoli mně ukrad, ale nemá do ní náboje.

Někteří si dodali odvahy a postoupili. Zvedl jsem pistoli a vystřelil. Nastal zmatek. Všichni se vrhli k pódiu. Využil jsem toho, přiskočil k oknu a vykopl ho. Opatrně jsem pomohl Marii ven, aniž bych přestal mířit do davu. Pak jsem se otočil a vyskočil za ní.

Jo-Anne s Krystýnou přestaly ječet a hluk odumřel. Přítomní se vyjeveně dívali jeden na druhého a na malou dírku ve stropě, kterou proletěla kulka.

To je hajzl, ulevil si někdo. Hned nato vypukl hluk. Lidé křičeli strachem i ulehčením, ale bylo to ulehčení krátkodobé, jako když povolí napětí a pak se dostaví hněv.

Viděli jste, jak vytáhl tu pistoli?

Musel to plánovat dopředu, jinak by ji sem nenosil.

Co budeme dělat?

Nakonec hovor odumřel a celý sál se díval k pódiu. Baba vstal. Rty měl pevně sevřené a očima přejížděl shromáždění.

Sam je zrádce, zašeptal pak. Byl to on, kdo hodil kámen mezi policii a byl to on, kdo překazil jednání mezi mnou a Watkinsem. A víte proč? Chtěl mít podíl na drogách! Chtěl, abychom ho zasvětili do obchodu s drogami, ale my jsme s tím fakt neměli nic společného! Pravda, Mafia nám platil, abychom nic neviděli, a platil dobře, ale to bylo všechno. Nemohli jsme si dovolit být více namočeni, ohrozilo by to existenci Bratrstva. A že to Pavel neuvedl v účetnictví? Prosím vás, který účetní by v téhle zemi zapsal profit z drog? Kam peníze šly, to by vám mělo být jasné. Z čeho jsme zaplatili superfosfát? Nový tank na vodu? Všechny ty sazenice, nářadí, stromky a stany, které se koupily? A odepsat z daní to nešlo. Copak jsme mohli přiznat pět tisíc výdajů ze tří tisíc tržby? A tak jsme o drogách mlčeli. Jenže teď je všechno v hajzlu, tohle je konec Duhového údolí...

Jak to? zeptal se Harry.

Kam myslíte, že Sam běžel? Ten se nezastaví, až na policejní stanici v Port Douglasu.

Musíme ho chytit!

Přece toho hajzla nenecháme utéct?

Nenecháme! zařval dav.

A jak ho chcete chytit? Má nabitou pistoli.

Já přinesu pušku, řekl Philip.

Já taky, přidal se George.

Já přivedu psa, nabídl se jiný.

Než to dáte dohromady, bude dávno v tahu.

Nebude, odpověděl Philip, má to dost daleko. Já mám auto venku, když sebou hodíme, zablokujeme bránu ještě dřív, než se dostane ke svému karavanu.

Mužů se zmocnila horečná činnost. Vyskočili a nedočkavě se hnali ke dveřím.

To přece nemůžu dopustit, napadlo Pavla.

To by byla vražda! zařval.

Byla, potvrdil Baba, ale kdyby vystřelil první...

Už vystřelil, zasmál se někdo a dav se dal do pohybu.

To přece... to nemůžete! řval Pavel. To je podvod! Já vám řeknu, jak to bylo s drogama... Ale nikdo ho neposlouchal. Dvě silné paže ho zezadu objaly a něčí drsná ruka mu zakryla ústa. Pavel cítil, jak ho někdo uchopil za nohy a je nesen přes pódium ke dveřím do kuchyně. Pokusil se kopat, ale sevření nepovolilo. Nosiči prošli na zadní verandu a odtud pokračovali kolem nového tanku na vodu přes dvorek až k mangovníku u stodoly. Tam ho položili obličejem k zemi a někdo mu klekl na záda a zkroutil ruce.

Tak ty jim řekneš, jak to bylo, jo? zeptal se známý hlas. Komu jsi to už řekl? Samovi?

Nikomu.

Opravdu? Tlak na zkoucenou ruku vzrostl.

Fakt, zasípal Pavel.

Lžeš! Dneska bys to vykecal všem!

Nelžu! Tohle je něco jinýho, jestli ho zastřelej, bude to vražda!

Ale zabrání mu to, aby zpíval.

Fakt jsem mu nic neřekl!

Lžeš. My jsme ti věřili a tys nás podved. Tlak opět zesílil.

Měl jsem vás podvést, sípal Pavel, jste lumpové, ale že jste schopni někoho i zabít, to mě nenapadlo.

To byla chyba, řekl hlas, ale už ji neuděláš...

Někdo ho chytil za vlasy a zvrátil mu hlavu nazad. Pavel ucítil na hrdle nůž.

Vy jste zešíleli, řekl, to nemyslíte vážně?

Myslíme. Chtěl jsi zpívat dneska, moh bys zítra...

Jestli se mi něco stane, jste všichni v prdeli! Přece si nemyslíte, že jsem tak blbej a nepojistil se? Mám ve městě člověka a ten ví všechno. Úplně všechno! Jestli se ztratím, půjde na policii...

Tak přece! Přece jen jsi nás podved! Lhal jsi, a ještě zpíval... Seš zrádce.

Strach se změnil v hrůzu. Pavel se vzepjal, ale ruka ve vlasech zatáhla a druhá ruka rychle přejela nožem po hrdle. Ucítil řezavou bolest. Chtěl ještě vykřiknout, ale ozval se jenom klokotavý zvuk a teplo mu zaplavilo hruď.

Dobytek, řekl třaslavě známý hlas, podívej, jak se třepe...

Opatrně jsme běželi. Měsíc vrhal bizarní stíny mezi stromy a nedalo se odhadnout, co je pouze přelud a co přečuhující větev nebo proláklina. Po silnici jsem běžet nechtěl. Kdyby nás honili, měli by to příliš snadné. Marie těžce dýchala a na úpatí mírného stoupání se zastavila.

Pojď, pobídl jsem ji, už je to jenom kousek.

Nemůžu... sípala.

Vzal jsem ji za ruku a táhl za sebou. Daleko za námi se rozzářily reflektory auta. Než jsme se dostali na kopec, byla světla pod ním. Ke karavanu už to byl opravdu jen kousek, ale věděl jsem, že to nedokážeme.

To jsou oni.

Trochu se polekala. Poznal jsem to podle stisku ruky.

Co budeme dělat?

Nic. Počkáme, kam pojedou.

Lehli jsme si na zem čekali. Za chvíli se ozval motor a objevilo se auto. Uhánělo šikmo přes pláň až k naší odbočce a tam zastavilo. Poznal jsem Philipův vůz. Byl to starý holden se stupačkami po stranách a byl plný. Někdo seděl na předním blatníku a několik jich viselo po stranách. Proti měsíci se rýsovaly pušky.

Co to mají? zašeptala.

Klacky, zalhal jsem.

Jejich hlasy doléhaly až k nám, ale nebylo rozumět, o čem se dohadují. Pak se vůz rozjel. Nezahnul ke karavanu, ale pokračoval dál po silnici.

Kam jedou? zeptala se.

Nevím. Možná do Port Douglasu pro policii.

Byla to lež. Moc dobře jsem věděl, že by to neudělali, ale sám jsem nevěděl, kam jedou. Dali jsme se do klusu a přeběhli pláň k domovu.

Co teď?

Musíme pryč. Tady nemůžeme zůstat.

Přikývla. Vstoupili jsme do karavanu a dali se do balení. Vytáhl jsem z poličky silný pytel z plastiku a složil do něj deku, moskytiéru, baterku a všechny náboje. Marie přidala bochník chleba, pár konzerv a několik maličkostí. Bylo to zbytečné, ale nechtěl jsem ji urazit.

Nedělej to těžké, řekl jsem, to stačí.

Vyšli jsme znovu ven. Hodil jsem pytel do moku a nasedl.

Kam chceš jet?

Asi na misii, pokrčil jsem rameny a nastartoval. Světla jsem nechal zhasnutá. Jeli jsme pomalu a já přemítal, co teď. Mohl jsem jet k Jůžinovi, měl pušku a jistě by mi pomohl, ale nebyl doma. Jet k Pavlovi byla sebevražda a na misii jsem nikoho neznal. Policie nepřicházela v úvahu. Dostal bych se tím do pozice opravdového zrádce, a konec konců, co bych jim řekl? Když jim neřeknu to hlavní, budou se ptát, proč a čeho se bojím. Na to se nedalo odpovědět. Nejlepší bude, když s Marií někde v klidu přečkám víkend a pak vyhledám Jůžina, aby mi obhlédl situaci. Mohli bychom se pak vrátit a podle okolností se zařídit. Buď odtáhnu karavan a odstěhuju se, nebo i zůstanu, ale s Bratrstvem je konec. Do něčeho podobného mě už nikdo nedostane.

Co kdybychom jeli do školy? řekla Marie. Mám klíč a spát se tam dá.

Nebyl to špatný nápad. Škola byla stranou a koho by napadlo, že jsme jeli na Yurrah?

Rozsvítil jsem reflektory a přidal plyn. V tu chvíli se objevil Philipův vůz. Stál napříč přes silnici a před ním i vedle něj klečely tmavé postavy. Než jsem si uvědomil, co se děje, třeskl výstřel. Trochu jsem přibrzdil a vší silou zdravé ruky se opřel do volantu. Zastavit jsem nechtěl, stali bychom se nehybným terčem. Vůz dostal smyk a sklouzl ze silnice. Okamžitě jsem přeřadil, zhasl světla a šlápl na plyn. Divoce to poskočilo, auto dokončilo oblouk a trhavě zabralo. Zadek vozu se několikrát zhoupl se strany, ale předek táhl spolehlivě a dostal nás zpět na silnici. Poznal jsem to podle stejnoměrného drncání, vidět nebylo nic. Párkrát to zazvonilo, jak zbloudilá kulka našla cíl, a pak střelba ustala. Držel jsem auto uprostřed cesty podle obrysů stromů u silnice, jinak byla tma. Teprve v zákrutu jsem si dovolil rozsvítit světla a rozjet se naplno.

Jseš v pořádku? zeptala se Marie.

A ty?

Mně nic není.

Úplně se zbláznili, podívej se, jestli za náma nejedou.

Otočila se a chvíli pozorovala tmu za námi.

Teď, řekla, teď se objevilo světlo.

Dojeli jsme na rozcestí před naším karavanem. Stálo u něj auto. Bylo bez světel, ale zář měsíce se odrážela od vyleštěné kapoty. Mohl by to být Jůžin, uvažoval jsem, touhle dobou se vrací z tréninku, ale ten by tu na mne nečekal potmě, a taky bych ho byl musel minout.

Podívej, řekla Marie, pod kopcem...

Pod kopcem se objevila také světla. Někdo jel od Kapličky k nám. Vyskočil jsem z auta.

Sedni za volant, nařídil jsem jí, a jeď k Evě! Jůžin už musí být doma a postará se o tebe. Řekni mu, že jsem tě poslal.

Ne! odpověděla pevně.

Jeď! Tobě nic neudělaj, jdou po mně!

Ne!

O mne se neboj, jdu do údolí nočních parrotů, tam mě nenajdou, a až se to přežene...

Půjdu s tebou, opakovala umíněně.

U karavanu zaštěkal pes. Hned na to se rozsvítily

reflektory a zaparkované auto se rozjelo. Na nic nezbyl čas. Popadl jsem igelitový pytel se zásobami a sledován Marií se rozběhl z kopce dolů. Znal jsem tu každý kámen, ale než jsme se dostali k prvnímu porostu, který lemuje potok, sjíždělo první auto za námi. Muselo jet opatrně, cesta tam nebyla, a několik nedočkavců vyskočilo a uhánělo napřed. Poznal jsem to podle baterek, jimiž si svítili.

Bambusovým hájem běžet nešlo. Postupoval jsem co nejrychleji a nesl před sebou pytel zásob jako štít proti přečnívajícím větvím. Pak zašplouchala voda a zatřpytila se hladina Jalboie. Přímo naproti se majestátně tměla skála, pod níž byl tunel. Vklouzl jsem do vody.

Myslíš, že to zmate psa? zašeptala Marie udýchaně.

To taky, odpověděl jsem, ač mě to ani nenapadlo, ale jiná cesta není...

Opatrně jsme se přebrodili ke skále a tam jsem jí v rychlosti vyzradil kůrungovo tajemství. Pak jsme se potopili a zmizeli ze světa Duhového údolí. Bylo na čase. V bambusovém háji se objevila první světla bloudících baterek.

Kdo mu to udělal? zeptal se Jůžin tvrdě.

Bylo jich pět. Vedli ho za Kapličku a ke stodole.

To nevíme, odpověděl Baba, ale jisté podezření je na Sama.

Jůžin se zastavil: Ty špinavej cikáne, jestli si myslíš, že mě sem vedete, abych svědčil proti Samovi, tak na to zapomeň! Sam byl jeho nejlepší kamarád, slyšíš? Nejlepší!

Ale včera se úplně pomát a obviňoval každého z podvodů. I Pavla...

Ty seš ten podvodník největší. Už dávno jsem si měl s tebou promluvit a možná, že si s tebou ještě promluvím. Někde o samotě. Ale nemysli si, že jsme všichni úplně blbí a všechno ti žereme. Tohle na Sama nenavlíkneš.

Na nikoho nic nenavlíkám, zavrčel Baba, ale kdo jinej by to moh udělat? Pavel byl hodnej kluk a všichni jsme ho měli rádi. Nikdo neměl důvod, aby...

A jakej důvod měl Sam?

Obvinil ho ze zneužití peněz, na to jsou svědkové, a pak dokonce střílel!

Tohle nezbaští ani můj pes! Tak Sam má pistoli, střílí z ní po lidech a pak se sebere a podřízne svýho nejlepšího kamaráda, jo? A na co tu pistoli teda měl?

Neřek sem, že to udělal, zaváhal Baba, ale mohl. Možná, že to udělali domorodci.

Běž se vysrat! odsekl Jůžin.

Přešel dvorek až ke stodole a nerozhodně se zastavil. Pavel ležel mezi stavením a mangovníkem. Tělo měl zkroucené a ruce na krku, jako by se snažil zastavit krev. Tmavá louže pod ním byla výsledkem marného zápasu. Tisíce much poletovalo nad mrtvolou a vzduch se chvěl hladovým bzučením.

Přineste někdo prostěradlo, nařídil Jůžin, to jste ho nemohli aspoň přikrejt?

Philipe, přines prostěradlo, nařídil Baba a postoupil k mrtvole.

Nechoď tam, zavrčel Jůžin, nebo to celý rozdupáš.

Baba se zastavil. Bylo ticho, jen mouchy bzučely. Všichni mlčky zírali na zkroucené tělo.

To, to... se nemělo stát... prolomil mlčení Bimbam. Nemělo se to stát, opakoval třaslavě.

Nikdo neodporoval. Pak se vrátil Philip. Jůžin od něj převzal prostěradlo a vykročil k mangovníku. Opatrně našlapoval a nad mrtvým tělem se zastavil. Pomalu přes něj rozprostřel plátno a pečlivě tělo zabalil. Něžně pak Pavla zvedl a vydal se na cestu zpět.

Co chceš dělat? zeptal se Věšák.

Pochovám ho... odpověděl Jůžin vzlykavě.

Kde?

Na hřbitově, ty idiote!

Na hřbitově?

Jo. Vy tomu říkáte ovocná zahrada.

A co policie? Musí se to nahlásit.

Tak proč jste zavolali mě a ne policii?

Mysleli jsme, řekl Baba, že bude nejlepší, když dáme vědět tobě. Taky seš Čech a po Samovi jsi byl jeho nejlepší kamarád.

Já na policii seru! zařval Jůžin. Vy jste ho objevili, vy si to nahlašte! A teď mi přineste někdo lopatu...

Ty to hlásit nebudeš? zeptal se rychle Baba.

Ne. Já si jen zjistím, kdo mu to udělal, a pak ho pošlu za Pavlem.

Přineste mu někdo tu lopatu! nařídil Baba.

Probudil jsem se pozdě. Slunce stálo vysoko a neúprosně pražilo do moskytiéry. Byl jsem úplně propocen. Síť ochable visela na provaze, který jsem v noci uvázal na špatnou větev. Byla téměř bez listí a neposkytovala žádnou ochranu před sluncem, ale ve tmě jsem na to nepomyslel. Marie ještě spala. Vlasy, slepené potem, jí padaly přes čelo a košili měla rozepnutou. Potlačil jsem chuť políbit ji a opatrně jsem vyklouzl z lože. Svlékl jsem svou propocenou košili a připevnil ji na síť, aby měla aspoň hlavu ve stínu, a rozhodl se dojít pro vodu.

Dole u laguny bylo ticho a chládek. Pohlédl jsem na druhou stranu ke skále, ale nic nenasvědčovalo tomu, že by naši pronásledovatelé objevili podvodní tunel. Neodolal jsem a vykoupal se. Pak jsem nabral čistou vodu do igelitového pytle na zásoby, nad vodou pytel zakroutil a převázal kapesníkem. Bylo to primitivní, ale splnilo to svůj účel.

Na zpáteční cestě jsem téměř zakopl o hnízdo brush turkey.* Bylo aspoň půl metru vysoké a na vrcholu se povalovaly zbytky hnijící vegetace. Opatrně jsem postavil pytel s vodou ke stromu a zapřel jej kamenem. Pomocí klacíku jsem začal hledat vajíčka. Šlo to pomalu. nechtěl jsem hnízdo poničit a hlavně jsem nechtěl rozbít vejce. Začal jsem pěkně od kraje, ale výsledek to nepřineslo. Naházel jsem hlínu zpátky, uplácal ji a začal uprostřed. Brzo jsem našel vajíčko. Bylo přes stopu pod povrchem. Pak druhé, třetí a při šestém jsem usoudil, že mám dost. Upravil jsem hnízdo do původní podoby a tiše poděkoval krocanům.

Když jsem se vrátil, byla Marie už vzhůru.

Taky se půjdu vykoupat, prohlásila.

Běž, voda je senzační. Udělám zatím snídani.

Je tam chléb a nějaká konzerva.

Jen se nech překvapit, usmál jsem se.

A překvapená byla. Měli jsme vajíčka na topinkách a horký čaj. Nestačila se divit.

Kde jsi vzal vejce? A jak jsi uvařil vodu?

V bambusu.

V bambusu?

Jo. Akorát musíš dávat pozor, aby neprohořel a včas vodu přelít.

Vajíčka jsi udělal taky v bambusu?

Vajíčka se dělají přímo v ohni, ale musíš vybrat správné místo, aby nepraskla hned na začátku a nerozlila se do popele. Mimochodem, jak ti chutnají, jsou krocaní.

---

* druh krocana

Zarazila se, ale hlad v ní zvítězil.

Vajíčka jsou vajíčka, prohlásila, kde jsi je našel?

Kousek odtud je hnízdo, jestli chceš, po snídani ti ho ukážu.

Chudáci krocani.

Vzal jsem jich jenom šest, bude jich tam aspoň dvacet a z toho nevyroste víc jak čtyři pět krocanů. Zbytek skončí tragicky jako naše vejce. Ty by ses v buši uživil, řekla uznale.

Možná, že budu muset.

Co budeme dělat? zvážněla.

Nejradši bych tu zůstal. Je tu hezky, buš plná zvěře, voda tu je, co nám chybí?

To nejde.

Proč?

Nic se tím nevyřeší a pozítří musím do školy.

Chceš se vrátit?

A ty ne?

Kam bych se vracel, do Bratrstva?

Do Bratrstva ne, ale máš tam přátele. Jůžin s Evou, Pavel... přece je nechceš opustit?

Jo, Jůžin je kamarád, ale na všechno kašle a stará se jenom o sebe. A Pavel táhne vlastně s nima. Když to tak spočítám, jsem úplně sám.

To není pravda! Pavel je na tvé straně, víš, že tě varoval. On také Bratrstvo prohlédl a bojuje.

Bojuje? přerušil jsem ji. A jak, prosím tě, bojuje? Drží hubu a krok, tak bojuje! Zrovna tak, jako Jůžin. Pravda, ten jim aspoň na všechno kašle, proto ho asi nechávají na pokoji, ale málem ho to stálo manželství. Jedinej, kdo se jim odvážil něco říct, jsem byl já, a podívej, jak sem dopad.

Takže ty seš ten jedinej bojovník, hrdina... Trpíš za všechny a všichni tě v tom nechali, viď? A cos dokázal?

To mě rozzlobilo. Nechápal jsem, o co jí jde, ale byl jsem si jist svou věcí a pozvedl hlas.

Tak já ti řeknu, co jsem dokázal! Dokázal jsem, že nejsou všemocní, že se vždycky najde někdo, kdo se nedá. Zblbli celé údolí. Některé po dobrém, jiné postrašili, ale každý se jim poddal. I můj kamarád Jůžin se jim svým mlčením poddal. Když už si mysleli, že nás všechny mají v hrsti, přišel jsem na scénu já. Nejen, že jsem otevřel hubu, ale prorazil jsem to jejich sevření. Možná, že jsem jenom utek, ale dokázal jsem, že je cesta ven. Já jsem svobodný člověk.

Víš, že se mi víc líbíš, když seš rozzlobenej?

Běž... řekl jsem kysele.

Vážně, Seš najednou jinej. Plnej energie a přesvědčení, vůbec bych se nedivila, kdybys řek, že ty už jsi svý udělal a ať ti všichni vlezou na záda.

To bych řek, že jsem svý udělal! Možná, že ne všechno, ale není moje vina, že mě nikdo nepochopil.

Takže ty tady zůstaneš a Duhové údolí necháš na pospas Bratrstvu?

Proč ne? Je tu hezky.

Ale to už jsi jednou říkal, pamatuješ? Říkal jsi to o Duhovém údolí. Tady zůstanu, říkal jsi, tenhle kousek světa je hezkej jak obrázek, odsud mě nikdo nedostane. A sotva přijdou první problémy, už balíš. Copak nechápeš, že ten problém nosíš v sobě? Nejde jen o tebe, ale o nás všechny. I my dva bychom za určitých okolností byli schopni udělat to, co Bratrstvo.

To je to poslední, k čemu bys nás měla přirovnávat. Kdybychom byli jako oni, sedíme teď v karavanu a ne tady.

Ale vždyť my jsme jako oni! A oni jsou zase trochu jako my. Všichni jsme lidé a čeho je schopen jeden, to za určitých okolností dokáže každý. Kdyby se změnila situace, dovedu si představit, jak běháš po lese s puškou v ruce a honíš Babu.

Už aby to bylo, povzdechl jsem si, zatím honěj mne a vypadá to na to, že budu rád, když mne tu nenajdou.

Same, ty se musíš vrátit!

Později, teď zůstanu tady.

Tady zůstat nesmíš.

Proč bych nesměl?

Protože to není tvoje země. Tím, že tady zůstaneš, ji bereš Toogoolawa lidem.

Nikomu nic neberu, já nejsem Bratrstvo.

Ne? A co tady budeš dělat?

Budu žít, to budu dělat. Sbírat vajíčka, lovit, chytat ryby, i na jamy půjdu.

Jenže ty nejsi domorodec. Až to tu kolem vychytáš a vylovíš, nepůjdeš o kus dál, abys dal zemi čas regenerovat, jak to nomádi dělají. Ty si přivedeš dobytek, začneš pěstovat plodiny, postavíš dům a najednou se z tebe, z hosta, stane majitel. Vy všichni jste usedlíci, všichni bílí. To je ten hlavní rozdíl mezi domorodcem a bělochem. Domorodec má domov všude. Vy bílí domov nemáte, vy si ho musíte vždycky vybudovat a zem si k tomu přetváříte, jinak k ní necítíte nic.

V životě by mě nenapadlo, že mi budeš vyčítat, že jsem bílej.

Nic ti nevyčítám! odpověděla rozzlobeně. Jenom se ti snažím vysvětlit, že takhle se nic nevyřeší. Jde o to, aby sis uvědomil, že domov už máš, sám sis ho zvolil, tak ho neopouštěj a bojuj. Udělej z Duhovýho údolí lepší místo než je. Nebo z tohohle krásného místa uděláš další Duhové údolí, a kam půjdeš pak?

Náhle mi došlo, co myslela tím, že my bílí si musíme nejdříve vybudovat domov, abychom něco cítili k zemi. Měla pravdu. Duhové údolí jsme si vybrali, protože se nám líbilo, ale domov se z něj stal teprve tehdy, když jsme si postavili domy a vybudovali zahrady.

Vzpomněl jsem si, jak jsem kdysi pracoval na Gove, a na starého domorodce, který se s námi opil. Stáli jsme před pubem a pozorovali obrovské skrejpry jak v dálce pracují a zvedají kotouče prachu. Ten černoch plakal... Má země, naříkal, můj ubohý kamarád země...

Tenkrát jsem se smál a nechápal, co ho tak dojalo, ale teď jsem to věděl. Když říkal má země, nemyslel tím jeho zemi v našem smyslu. On patřil jí, zemi, zatímco když já říkám má země, mám na mysli, že mi ta země patří...

Nezlob se, řekl jsem omluvně, hned jsem tě nepochopil. V tobě se ta černá s bílou tak krásně smíchala... Taky bych potřeboval trochu černé krve...

Možná, že ji budeš mít dřív, než si myslíš.

Nepochopil jsem a navrhl, abychom se šli projít. Potřeboval jsem čas na rozmyšlenou. Teď už mi nešlo o to, zda se vrátím, ale jak budu bojovat. Nenápadně jsem pohnul zraněným ramenem. Pořád ještě trochu bolelo. Nebude to snadné, pomyslel jsem si.

Pojď se projít, ukážu ti údolí, navrhl jsem.

Děláš dobrej džus, prohlásil Věšák, co do toho dáváš?

Všechno možný, jen pij, odpověděl Jůžin.

Zvedl džbán a každému nalil. Bylo jich šest a seděli na verandě před Kapličkou. Baba byl v čele stolu. Po pravici měl Věšáka s Mafiou a po levici Philipa s Bimbanem. Jůžin seděl na druhém konci.

Na džus se vyserte, radil Mafia. Co budeme dělat?

Nemusíš to pít.

Tak jsem to nemyslel, odsekl rádce, ty víš moc dobře, co jsem chtěl říct! Tady jde vo vraždu...

Tobě jde hovno vo vraždu. Jde ti vo peníze. Jestli zavoláme policii, přijde ti na čachry s marjánkou a práškem.

Prášek jsem nikdy neprodával, zaječel Mafia, jenom trávu, na to jsou svědkové!

Nehádejte se, napomenul je Baba, Jůžin má pravdu. Jde také o peníze. Já vám to řeknu na rovinu. Momentálně máme vynikající pozici, nevědí, jak nás odsud dostat, ale že nás odsud dostanou, o tom nemusíte pochybovat. Udělali nám poslední nabídku. Baba si odkašlal a nenápadně pohlédl na Věšáka. Ten neznatelně přikývl. Nabízejí nám bezplatné přestěhování osob a nemovitostí kamkoliv v Austrálii. A dvanáct tisíc dolarů pro každého podílníka.

Sedící ztuhli.

Dvanáct tisíc, zakoktal Philip, to nemyslíš vážně?

Ale má to háček. Chytnou se každé záminky, aby tolik dát nemuseli. Jestli přijdou na vraždu, dopadnem bídně.

Rozhostilo se ticho. Mafia si nalil džus, napil se a drze prohlásil: Já budu držet hubu.

Já taky, řekl Philip.

I já, přidal se Věšák.

Všichni pohlédli na Jůžina, ale než mohl Jůžin odpovědět, ozval se Bimbam.

Nemělo se to stát, zašeptal, to se nemělo stát.

Nemělo, poškrabal se na hlavě Jůžin.

To víme všichni, vybuchl Baba, že se to nemělo stát, ale stalo se.

Jůžine, přerušil Babu Věšák, teď je řada na tobě. Co budeš dělat?

Jestli jste mne pozvali, abyste na mne svalili odpovědnost za údolí, tak na to zapomeňte. Já jsem si vždycky dělal, co jsem chtěl, a nemíním v tom přestat, ale jedno ti můžu slíbit. Až se vrátí Sam, tak mu to řeknu, pak se uvidí.

Co se uvidí?

Uvidí se, co udělá. Jestli to řekne policii, to nevím, ale že rozpoutá peklo, na to si vsaď.

Takhle se nikam nedostaneme, prohlásil Baba znechuceně. Sam je kdoví kde a vůbec není jasný, že se vrátí.

Vrátí se, řekl Jůžin pevně, Sam se vrátí, na to můžeš vzít jed.

Hergot, co furt vo Samovi? Vo toho vůbec nejde, rozzlobil se Mafia, tady de vo to, jestli zatajíme Pavlovu vraždu a shrábneme každej dvanáct tisíc, nebo to nahlásíme a utřeme hubu. Vo nic jinýho tady nejde, proč si myslíš, žes byl pozvanej?

To bych taky rád věděl, odpověděl Jůžin.

Máš ve farmě akcie, seš podílník, řekl Baba.

To je moc hezký, zvláště vod tebe, kterej žádný akcie nemá, ale podílníků je dvacet, proč nás tu je jenom šest?

Baba se usmál: To by bylo dlouhý vysvětlování, ale můžu tě ujistit, že ostatní na dvanáct tisíc skočej, jenže ty seš zvláštní podílník.

Zvláštní? A proč?

Protože jsi Čech, Pavel byl taky Čech, chápeš?

Možná, že pro tebe, jako Asiata, jsou Češi zvláštní, ale...

Nic nechápeš! vykřikl Baba. Napřímil se a oči mu zaplály. Věšák mu chlácholivě položil ruku na rameno a podíval se na Jůžina:

Řeknu ti to na rovinu, začal, nejde o tebe, ale o Pavla. Pavel se ztratil a bez něj farmu neprodáme, chybí nám jeho podpis. Kdyby ovšem někdo mohl dosvědčit, že od něj akcie už dávno koupil, pak by nebylo všechno ztracený. Kdyby se, řekněme, ten člověk vytasil s papírem psaným v češtině a datovaným aspoň pět měsíců nazpět, kdo by v téhle zemi mohl dokázat, že to je falzifikát?

Sam.

Věšák přikývl: Ano, Sam by to mohl dokázat, ale nic není zadarmo. To už by byla tvoje starost, aby Sam mlčel. Za Pavlův podíl to stojí, ne?

Abys tomu rozuměl, řekl Baba rychle, nejde jen o nás a o rychlý prodej farmy. My jsme měli všichni Pavla rádi a je nám líto, co se stalo. Jistě má doma nějaké příbuzné, mohl bys peníze poslat jim, aspoň část, to už přenecháme tvému svědomí.

Já vám rozumím, odpověděl Jůžin, teď už vám rozumím, proč jste mne pozvali. Když se Samem sehrajeme malou komedii v češtině, můžeme se šábnout vo dvanáct tisíc a všichni budou radostí bez sebe, ne? Jestli něco pošleme pozůstalejm zavražděnýho, to je taky na nás. Rozumím vám dobře?

Baba pokrčil rameny a Věšák přikývl.

Rozumíš, usmál se Mafia.

Dávej bacha, obrátil se k němu Jůžin, aby ti něco neuteklo. Teď zase chci já, abyste dobře rozuměli. Víte, co mi nejvíc vrtá hlavou? Jak to, že ani jednoho z vás nezajímá, kdo to Pavlovi udělal? Byl to váš kamarád, všichni jste ho měli rádi, tady Baba nad ním téměř plakal, ale kdo ho zabil, to ho ani trochu nevzrušuje. Mohlo by se zdát, že ho to nevzrušuje, protože to ví.

No dovol! ozval se postižený.

Dovolím, samozřejmě, že dovolím. Jen se vzrušuj! Já se taky vzrušuju, a víš proč? Protože ho zabil někdo z nás. Na tvým místě bych se pořádně bál, co když najdeme zítra pod mangovníkem tebe? Vrah moc dobře ví, že všichni budou držet huby, však on už se někdo najde, kdo to za mrtvýho podepíše. To tě nenapadlo, viď?

Baba mlčel. Brada mu trochu poklesla a upřeně zíral

na Jůžina. Pak nervózně polkl a zeptal se: Proč by to dělal?

To nevím. Třeba proto, že na něj něco víš, nebo aby měl víc peněz. Stačí, když v tom bude pokračovat a skončí s dvěstě čtyřiceti tisícema.

Kecáš nesmysly! Vybuchl Mafia.

Nekecám! Ještě nikdo si mě nekoupil, ani za dvanáct tisíc ne, a kurvu ze sebe teprve dělat nebudu. A kdybych to, co po mně chcete, udělal, kdybych to udělal mrtvýmu kamarádovi, tak jsem ta kurva nejzkurvenější.

Jůžin vstal, přešel verandu a sestoupil po schodech.

Jůžine, zvolal Mafia, nebláznit, my to tak nemysleli! Nedohodneme se nějak?

Proč ne? odpověděl tázaný. Slibte mi, že už po mně nikdy nebudete chtít nějakou kurvárnu, a já vám slíbím, že už nikdy nebudu chcát do džusu.

Oheň tiše plápolal. Kůrung seděl před jeskyní a ve světle plamenů si prohlížel dary. Dal jsem mu plastický pytel na vodu, všechno jídlo a pár maličkostí, které jsem u sebe měl. Dary se mu zamlouvaly, ale toužil po moskytiéře. Neustále pošilhával ke stromu, pod kterým visela. Dávno jsem se rozhodl, že mu ji dám, ale neřekl jsem nic. Ostatně dal jsem mu už dost a on mně zatím nic. Ne, že bych něco chtěl, ale začínalo mě unavovat jeho věčné prežent, prežent,* kterým na mne dotíral. Odpoledne taky. Sotva jsme ho potkali, hned spustil svou písničku o dárku. Dal jsem mu hřeben, ale docela otevřeně jím pohrdal. Teprve když jsem mu předal pytel se zásobami a vysvětlil, že vak udrží vodu, byl potěšen a rozhodl se nás pozvat ke své jeskyni. A to ještě jenom mne. Marie pro něj neexistovala.

---

* dárek, dárek

Tomu jsem celkem rozuměl. Dobrý kůrung dobře ví, že styk se ženou bere nejen energii, ale také rozptyluje mysl a především prohlubuje mužovy slabosti. V šamanské tradici domorodců zaujímá žena velice podřadné místo. To jest, viděno očima bílých. Žena smí vědět málo, nesmí se účastnit mnoha obřadů, především těch, které mají co dělat s magií. Je jí zakázáno spatřit určité předměty, jež jsou někdy zakázány i chlapcům na určitém stupni vývoje. Žena se musí pečlivě vyhýbat posvátným místům. Spatří-li je následuje okamžitě trest. Většinou krutý, někdy až sadistický. Zdálo by se, že žena je v domorodé společnosti postavena na nižší úroveň, ale tak jednoduché to není. Ženy mají svá kouzla a svá tajemství. Mají též obřady, které jsou zakázány mužům, a jejich kouzla jsou na solidnější základně, více při zemi a praktičtější než mužský svět spiritů a přeludů. Obě soustavy se spíše doplňují, než aby mezi sebou soutěžily.

Tohle všechno jsem věděl a věděla to i Marie, ale z praxe jsme neznali nic. Byl bych se rád dozvěděl více, ale s ženou po boku to nebylo možné. Marie to tušila a brzo po večeři si šla lehnout. Osaměli jsme se šamanem a chvíli mlčeli.

O údolí jsem nikomu neřekl, začal jsem těžkopádně.

Stařík pohlédl ke stromu, pod kterým ležela Marie: Já vím.

To je moje žena: byli jsme v nebezpečí a utekli sem, ale jinak o tom nikdo neví.

Já vím, odpověděl.

Jak to víš?

Tak.

Víš, kdo nás honil?

Strach a chamtivost.

Žena chce, abych se vrátil a bojoval. Myslíš, že to je moudré?

Je to dobré.

A moudré?

Nemoudré.

Tak proč je to dobré?

Může být dobré, nemusí být moudré.

Mám špatné rameno, nemůžu bojovat, řekl jsem. Při zmínce o rameni ožil. Oči mu zajiskřily a pohlédl k Marii: Ty dát síť proti moskytům, já vyléčit.

Možná. Možná, že ti dám síť, ale nejprve dokaž, že umíš vyléčit.

Nejprve síť.

Řekl jsem možná, a jestli ti ji dám, tak až zítra.

Zítra já vyléčit, možná... usmál se.

Jak můžu vědět, že mluvíš pravdu? Nejdřív dokaž, že máš moc.

Moc je přelud, odpověděl.

To je blbost. Prime minister má moc nad Austrálií, alderman Watkins nad Port Douglasem, ty nad Toogoolawa people, každý má moc nad něčím.

Není moci.

Bůh je všemocný, odporoval jsem.

Kde Bůh?

Všude. Je všemocný. Baba mi říkal, že Bůh je světlo a když se dokážu soustředit, že ho uvidím. Ale ještě se nedokážu soustředit.

Kůrung se usmál: Vidíš mne?

Vidím.

Zvedl ruku do úrovně ramen a poněkud ji odtáhl: Vidíš ruku?

Vidím.

Ty soustředit. Soustředit na mojí ruku, přikázal.

Upřel jsem pohled na jeho otevřenou dlaň. Ruka střídavě tmavla a zářila, podle toho, jak ji ozařovalo světlo ohně.

Soustředit víc! Víc, ty vidět každá vráska!

Vpil jsem se očima do ruky. Ještě chvíli jsem vnímal okolní svět, oheň, jeho tmavou postavu, a pak už jen otevřenou dlaň. Zdálo se mi, že se ke mně přibližuje. Jako tenkrát, když mi Baba ukazoval mé srdce. Vystupovala z temnoty, lehce se chvěla a poutala mou pozornost.

Vidíš mne?

Zavrtěl jsem hlavou. Dlaň okamžitě zmizela. Udiveně jsem zamrkal a vrátil se k ohni.

Když Bůh všude, řekl stařík vychytrale, jak ty ho vidět, když ty soustředit?

Byla to rána pod pás, ale neurazil jsem se. Kůrung měl pravdu a dal mi dobrou lekci v logice. Uvědomil jsem si, že jakmile zaostříme pozornost na detail, rozplyne se nám celek. Znamená to snad, že když zaostříme pozornost na Boha, že se nám rozplyne?

Nebyl jsem si jist, jen mě napadlo, že v Duhovém údolí jsme se neustále na něco soustřeďovali a neviděli vlastně nic.

Moc jako Bůh, uchechtával se stařík, Toogoolawa people chtít mocný kůrung, já mocný kůrung. Ty chtít léčivý kůrung, já léčivý kůrung.

Takže všechno je jen v našich myslích.

Kouzelník vstal a pokynul mi: Pojď.

Vytáhl z ohně větev a vykročil do tmy. Vstal jsem a následoval ho, šel přede mnou bez ohlédnutí. Nechápal jsem, kam jdeme a nač potřebujeme oheň. Gija jirray - úplněk - stál nad lesem a jasně osvětloval krajinu. Pak se kůrung zastavil a začal brumlat monotónním hlasem: Burringallawinah mundiga wangalli mudžinba, dulgudering Kulgun junde laragan... Zároveň po sobě přejížděl ohnivou větví, jako by stíral neviditelný prach. Pak provedl totéž se mnou.

Zavři oči, přikázal.

Zavřel jsem oči. Převázal je něčím a uchopil mě za ruku. Pomalu jsme vykročili. Několikrát jsem zakopl, ale jinak to šlo dobře. Obratně mi tiskl ruku, takže jsem věděl, jak jít. Když stisk zesílil, zpomalil jsem a opatrně našlapoval. Vylezli jsme po nějakých kamenech do výše a tam se zastavili. Kůrung mě opustil. Slyšel jsem, jak sbírá větve a rozdělává oheň. Bez přestání monotónně zpíval a pak ztichl. Zmocnilo se mne vzrušení a začal jsem se bát. Pot mi stékal po čele i po zádech, ale cítil jsem jen lehké mrazení. Běhalo páteří vzhůru a někdy se zastavilo v temeni hlavy. Nevěděl jsem, co se děje. Kolem, ani ve mně. Nohy se mi roztřásly a náhle mi byla stržena zástěra s očí. Nečekal jsem to a prudce zamžikal. Přede mnou se zdvihala skalní stěna osvětlená ohněm a měsícem a v jejich záři se rozpínal, na skále vymalovaný, Spirituální muž. Byl dvakrát tak veliký jako já a z hlavy mu vybíhaly čáry naznačující vibraci. Celá kresba se chvěla. Chvěla se skála, zem pod mýma nohama i já. Blesklo mi hlavou, že domorodci věří v devět světů, jež existují propojeny a liší se pouze frekvencí vibrace, která je zhmotňuje. Abos tomu říkají Dreamtime a zkušený kůrung se vyladěním vibrace svého já dokáže přesunout z jednoho světa do druhého. Díky tomu je smrt pouze finálním vyladěním - final tuning. To vše mi blesklo hlavou v jedné sekundě, jen jsem si nedokázal uvědomit, zda vstupuju do světa minulého nebo budoucího. Spirituální muž se rozplynul a místo něj vysvitlo slunce. Bylo jasno a do zad se mi opíral příjemný vánek ze severu. Pak vše ztemnělo. Stál jsem pod mangovníkem u Kapličky a pozoroval zápas. Někdo ležel na břiše a dva na něm seděli. Ten vepředu kroutil ležícímu ruku a zároveň ho tahal za vlasy. Ten druhý mu jen držel nohy. Byli ke mně otočeni zády, ale záda muže držícího nohy se mně svou křivkou zdála povědomá. Chtěl jsem k nim vykročit, ale nohy mě neposlouchaly. Byly pevně přilepené k zemi. Pak obraz zmizel a objevil se Pavel. Byl nepřirozeně bledý a smutně se na mne díval. Zabili mě, šeptal. Kdo, chtěl jsem se zeptat, ale nevydal jsem ze sebe ani hlásku. Běž k Robertsonovi, zašeptal, ten ví všechno. Ať ti dá klíč od schránky. Opět jsem se pokusil promluvit, ale můj jazyk byl dřevěný. Zoufale jsem se snažil vykřiknout, kdo ti to, Pavle, udělal? Na krku mi naběhly žíly, ale zvuk jsem nevydal žádný. Pak Pavel zmizel a udělala se tma. Spirituálního muže jsem už neviděl. Ani oheň. Někdo mi natáhl přes oči zástěrku a vzal mě za ruku.

Probudili jsme se brzy. Leželi jsme s Marií na dece u krocaního hnízda a nad námi chyběla moskytiéra. Nechápal jsem, jak jsme se sem dostali. Ještě večer jsme byli u kůrunga, dobré dvě míle odsud, a najednou... Pamatoval jsem si, jak jsme se s kouzelníkem vrátili od Spirituálního muže a ještě chvíli seděli u ohně. Kůrung mi dal malou a ostrou kost.

Ty ho trestat, řekl, on vždy připamatovat, když on nechtít, to trest.

Kdo?

On, chamtivost a strach sám...

Byl jsem unaven a odmítl přemýšlet, koho tím myslel. Jinak o mé zkušenosti z toho večera už nepadlo ani slovo. Zato mi kůrung vyprávěl o mém ramenu. Tvrdil, že vše má svou inteligenci, i rameno. Vše je samostatné a inteligentní, ale zároveň je i součástí něčeho většího a inteligentnějšího, takže se to zdá hloupé. Nebyl jsem v náladě se s ním o tom přít, i když jsem o svém ramenu dost pochyboval. Tedy o jeho inteligenci. Chápal jsem, že vše je propojeno a vše souvisí se vším, ale jaksi jsem odmítal uznat prachsprosté rameno za samostatnou jednotku a na debatu jsem se nedokázal soustředit. Před očima se mi neustále vynořoval Pavel. Jeho bílá tvář a bezkrevné rty, které opakovaly... zabili mě, zabili mě...

Byl to jen sen, nebo jsem viděl jeho budoucí konec? A kdo mu to seděl na nohou? Ta záda jsem znal, ale zaboha jsem si nedokázal vybavit jejich vlastníka.

Kůrung mé rozpoložení brzo vypozoroval. Holými prsty vytáhl z ohně uhlík a zapálil si jednu z mých cigaret. Tiše se rozkašlal a poslal mě spát. Marie byla ještě vzhůru a čekala. Pozorovala mě rozšířenýma očima a tiše se zeptala: Kde jste byli?

Až ráno, odpověděl jsem a ulehl vedle ní. Moskytiéru jsem zastrčil pod deku, aby na nás nemohli škorpióni, a schoulil jsem se do klubíčka. Okamžitě jsem usnul. A najednou bylo ráno. Jako bych jen zavřel oči a znovu je otevřel. Ptáci už křičeli, ale slunce ještě nevyšlo. Opodál se ozvalo krocaní "wo". Nebylo pochyb, byli jsme u krocaního hnízda.

Jak jsme se sem dostali?

Pokrčil jsem rameny: Kůrung...

Prosím tě, jak by to dokázal? Spím lehce, probudila bych se, kdyby na mne sáhl, natož kdyby mě nesl.

Magie... navrhl jsem. Náš kůrung je mág k pohledání... A to jsem si o něm kdysi myslel, že to je podvodník a primitiv.

Kam zmizela moskytiéra?

Znovu jsem pokrčil ramena a vtom jsem si vzpomněl. Nevěřícně a bojácně jsem zakroužil ramenem. Nic, žádná bolest. Vstal jsem a zakroužil pažemi. Nejprve dopředu a pak dozadu. Opět bez bolesti.

Co blázníš?

Neblázním. Víš, kdo má naši síť? Kůrung!

Kůrung?

Ano. Včera jsem mu ji slíbil, když vyléčí mé rameno, a podívej, zakroužil jsem ramenem. Proto si vzal síť.

Třeba to byla náhoda a bylo to dobré už předtím.

Kdepak, pořád mě bolelo, ale teď? Sleduj!

Rozběhl jsem se a udělal přemet.

Vstala a políbila mě. Vzal jsem ji za ruku.

Pojď, jdeme domů, mám ukrutný hlad.

Kam domů?

Do Duhového údolí, kam jinam?

A nebojíš se?

Ne. Teď už ne. Člověk se bojí, jen když neví, co má dělat. Já vím, co udělám.

Co?

To ti řeknu později, teď se chci najíst.

To mi říkáš pořád... ještě jsi mi ani nepověděl, kdes byl včera.

Zasmál jsem se: Víš, že ani nevím? Nevěřícně na mne pohlédla.

Přísahám! Ten starej lišák mi zavázal oči, abych neviděl. Teď vím proč a taky vím, proč jsme se probudili tady a ne u něj, i když nechápu, jak to dokázal! Vsaď se, že když ho teď půjdem hledat, nenajdem ani jeho, ani tábořiště. A teď se jde domů! Cestou ti povím, co jsem prožil.

Kdo mi vypálil karavan? sršel jsem hněvem.

Na to se vyser, odpověděl Jůžin, mám horší zprávy.

Na nic se nevyseru, kdo to udělal?

Sedni si! Až ti řeknu, co se stalo, moh bys upadnout. Evo! křikl. Udělej nám kafe.

Žádný kafe nechci! Někdo mi vypálil karavan i holdena, chci vědět, kdo to byl.

To nevím, ale nedopad jsi tak špatně. Zachránils mini-
moka...

Jenom proto, že na něj zapomněli.

Taky život sis zachránil...

Trochu mě to uklidnilo. Jůžin měl pravdu. Odvedl mě
na verandu. Sedli jsme si a hleděli chvíli jeden na dru-
hého.

Pavel je mrtvej, řekl náhle.

Co?

Slyšels dobře.

To nemyslíš...

Myslím. Někdo ho zabil tu samou noc, cos utek.

Vyskočil jsem.

Neblázni, uslyšej nás holky.

Došlo mi, proč mě vytáhl na verandu: Eva to neví?

Nic jsem jí neřek, zatím, ale večer jí to chci povědět.
Čekal jsem na tebe. Abych ti pravdu řek, nevím, co mám
dělat.

Policie o tom ví?

Neví, chceš to oznámit?

Zavrtěl jsem hlavou. Jůžina to zmátlo a vyložil si to
jako odpověď.

Nevím, jestli děláme dobře. Ví o tom moc lidí a dřív
nebo pozdějc to někdo oznámí. Pak bude průser.

To není možný, vrtěl jsem stále hlavou.

Co není možný?

Že je mrtvej...

Sám jsem ho pochoval.

Cítil jsem, jak mi do očí vstupují slzy a rozpomněl se
na dávno zapomenutý pocit pláče. Chvíli jsem vzdoroval,
ale pak mě to přemohlo. Kdybych se v tu chvíli dokázal
vyplakat, objevil bych možná i úlevu, ale bolest se ve mně
smíchala se vztekem. Zabili mi kamaráda a já tady řval
jako děvka.

Kdo mu to udělal!? praštil jsem pěstí do stolu.

Neblázni, holky...

Kdo mu to udělal! zařval jsem.

To nevím, ale...

Dobře, však já už si ho najdu!

Sáhl jsem za košili a vytáhl pistoli. Zkontroloval jsem náboje. Pak jsem vstal, přeskočil zábradlí u verandy a vykročil ke Kapličce.

Kam jdeš?

Neodpověděl jsem a přidal do kroku, ale Jůžin přeskočil zábradlí, dohnal mě a uchopil za paži.

Pusť!

Nepustím, copak nechápeš, že právě na tohle čekají?

Tak ať! Byl to můj kamarád a nikdo si nesmí myslet, že ho může voddělat a já budu mlčet.

Byl to taky můj kamarád, myslíš, že já se snad bojím? Že ho nechci pomstít? Ale nechci se dostat do situace, kdy budu mstít dva...

Můžeš mi pomoct. Skoč si pro pušku a...

Seš vůl, zařval, co chceš dělat? Plížit se kolem Kapličky a zastřelit každýho, kdo z ní vyleze? Co když právě na tohle čekají a sotva se tam objevíme, přijdou sem, ke mně. Myslíš, že se Eva s Borkem a Marií ubrání? Co budeme dělat pak, to tě nenapadlo?

To mě nenapadlo. Zastavil jse se: Myslíš, že by mohli... že by dokázali...

Dokázali zabít Pavla.

Nerozhodně jsem se podíval k domu. Marie s Evou vyšly právě na verandu a upřeně nás pozorovaly. Slyšet nás nemohly, byli jsme už dost daleko. Sedl jsem si na zem.

Tak dobře, proberem si situaci. Nejdřív mi řekni, co víš.

Moc toho není, ale něco jsem vypátral. Přisedl a začal

vyprávět. Jak našli Pavla a zavolali si ho k posouzení situace. Pak o poradě, a to nejlepší si nechal na konec: Včera jsem vzal Borka a zajel na misii. Má tam nějakýho kamaráda, Tommyho, tak jsem ho pozval i s rodičema na výlet. Zkrátka, přivez jsem návštěvu. To víš, Eva nadávala, Tommy má asi pět bratrů a sester by ses nedopočítal, ale vo to nešlo. Domluvil jsem se s jeho tatínkem a vzal ho ke Kapličce. Je to dobrej stopař, ale moc toho nezjistil. Bylo to dost podupaný a stopa stará, ale jednu jistotu máme. Víc jak pět lidí na místo činu nevstoupilo. Já byl šestej.

No a?

Jakýpak no a! O vraždě ví jenom pět lidí, kromě nás teda. Věšák, Philip, Baba, Bimbam a Mafia. Jeden z nich to udělal, chápeš?

Možná všichni...

To ne. Je možný, že u toho všichni byli, ale ten hrozný řez na krku, to mu udělal jeden člověk, a toho chci najít.

Hlavou mi bleskl obraz. Zase jsem viděl tři postavy, jak spolu zápasí. Jedna tahala ležícího za vlasy a druhá mu seděla na nohách. Teď už jsem věděl, že ležící byl Pavel.

Byli dva, řekl jsem, jeden mu seděl na nohách.

Víš, že tohle říkal Tommyho táta taky? Nebyl si jistej, ale... jak to víš?

Na tom nezáleží, vysvětlím ti to později, teď se musíme dohodnout, co budeme dělat.

No, poškrabal se na hlavě, mě nejvíc překvapil Bimbam. Zdál se mi nějak vyděšenej, chvílema se doslova třás, já bych začal s ním. Někde si na něj počkáme a zmáčkneme ho.

Dobře. Začneme s Bimbamem, stejně má u mne vroubek, ale nejdřív zajedem do města.

Co tam chceš dělat?

Skočíme si na kus řeči se starým Robertsonem. To je ten chlápek, co s ním Pavel dělal na správě.

Proč?

Protože něco ví a dá nám klíč od Pavlovy tajný schránky.

Kdo ti řek, že má nějakou tajnou schránku? A na co ji měl?

Na co ji měl, to nevím, ale že ji měl, vím od něj. Sám mi to řekl.

Kdy?

Včera.

Včera?

Podíval jsem se do jeho překvapeného obličeje a bylo mi jasné, že musím lhát, ale lhát jsem nechtěl. Mávl jsem rukou a prohlásil: To je detail, kdy mi to řekl, hlavně že to vím. Hoď' zítra "áčko", vyser se na práci a schránku vybereme.

Tak dobře, ale co uděláme s holkama a s Borkem? Nerad bych je tu nechal samotný.

Taky je nenecháš. Ráno je odvezeme do školy a než se situace vyjasní, budou bydlet tam.

To myslíš i přes noc?

Třeba i přes tejden. Místo tam je, za třídou jsou dva prázdný pokoje.

To není špatnej nápad, uznal Jůžin, pochybuju, že by někoho napadlo hledat je tam.

Ne, my zůstaneme tady, řekla Eva.

Ježíšikriste a proč? ječel Jůžin.

Tak, nám se tady víc líbí.

Líbí... bože můj, tady jde vo vraždu! My řešíme vraždu, slyšíš? Nemůžem si dovolit mít nekrytý zázemí.

Co když sem přijdou, až budeme pryč? Jak se chceš bránit?

Co bych se bránila? Když sem přijdou, tak jim řeknu, že nejseš doma...

Proto sem právě přijdou, úpěl Jůžin, že nebudu doma.

Proč by to dělali? Já vraha nehledám, ty ho hledáš, půjdou za tebou...

Evinko, udělej mi radost a odstěhuje se na Yurrah. Jenom na tejden, na jeden blbej tejden, jinak strachy neusnu.

Ne.

Proč ne?

Já bych se tam bála.

Boha jeho, kurev sedm, a tady se bát nebudeš?

Ne, tady jsem doma.

Tak tady zůstaň, ale já za nic neručím, vzdal se Jůžin.

Ženská, prohlásil na čerstvém vzduchu, jen zřídka myslí hlavou.

Nesdílel jsem jeho pesimismus, ale prozíravě jsem mlčel.

Naproti správě je čínská restaurace, která má dvě oddělení. Prosté, věčně plné a hlučné pro úředníky z okolních budov a dělníky z nedalekého přístavu. Rozhodli jsme se pozvat Robertsona do oddělení druhého, kterému se říká Čínský klub. Má zvláštní vchod z ulice a je tiché, intimní. Objednal jsem jídlo a Jůžin láhev chlazeného bílého. Přivezli ji v kyblíčku s ledem a číšník postavil na stůl sklenky.

Pro mne ne, řekl Jůžin, já nepiju.

A só, odpověděl Číňan a nalil mu také.

A só, zavrčel Jůžin, ale znělo to jako ass hole, já chci pomerančovou šťávu! Číšník ji přinesl.

Tak na co, chlapci? Na toho nešťastnýho Pavla? řekl Robertson.

Vy to víte? zeptal jsem se.

Vím. Ráno byl u mne jeden od vás a všechno mi řekl. Takové neštěstí. Já měl Pavla rád, byl jako můj syn. Starý Robertson zavrtěl hlavou a pozvedl víno. Vyměnili jsme si s Jůžinem překvapené pohledy a ťukli si. Jůžin nepil. Omočil pouze rty a postavil sklenku na stůl.

A kdopak u vás byl? zeptal jsem se.

Sam.

Nadskočil jsem, ale Jůžin mě pod stolem kopl. Než jsem mohl něco říci, přivezli jídlo. Robertson byl pravý Australan. I v čínské restauraci si poručil steak s opékanými bramborami. Jůžin měl kuře s rýží a já jsem si dal hovězí na ořechách s pálivou paprikou. Dali jsme se do jídla. Paprika byla opravdu pálivá. Vypil jsem Jůžinovi okamžitě pomerančovou šťávu a požádal o džbán chlazené vody, teprve pak jsem mohl říci:

To je zajímavé, protože Sam jsem já.

Opravdu? Robertson přestal jíst. Ale ten člověk se mi představil jako Sam.

Možná, řekl Jůžin, že to nechtěl komplikovat. Všichni víme, že vám Pavel vykládal o Samovi. Třeba ten člověk chtěl abyste mu více věřil... A co vám povídal?

No, že Pavla přejelo auto. To víte, byla to pro mne rána a když to trochu přešlo, chtěl jsem vědět, kdy bude pohřeb, ale on říkal, že jste ho už pochovali, aby se v tom horku nerozložil. Až k vám někdy přijedu, musíte mi ukázat hrob.

Jak ten člověk vypadal?

No, asi ve vašem věku, v džínsách...

Nebyl takovej tmavej, zeptal se Jůžin nedočkavě, tmavej a holohlavej?

Byl opálený. Měl tmavé vlasy a měl jich spoustu. Chlapci, mám takový dojem, že jsem něco zvoral, viďte?

My už si zjistíme, kdo u vás byl, s tím se hlavu nelámejte, řekl jsem.

Takže to byl kamarád, ano? To jsem rád, já Pavlovi

slíbil, že klíče dám jenom tobě, ale tenkrát mě vůbec nenapadlo, že by k tomu mohlo dojít.

Řekl vám číslo schránky?

Ne číslo nevěděl, ale ptal se po klíčích, tak jsem myslel...

To je v pořádku, mávl rukou Jůžin, víte, co ve schránce bylo?

Měl tam deník, ale co bylo v deníku, to nevím. Jinak to byly většinou kopie jednání mezi vámi a správou. Nejzajímavější byla ta poslední. Oba jsme se tehdy divili, proč správa naléhá, aby se akce převedly na zprostředkovatelskou společnost, která by vám vyplatila podíly. Já měl dojem, že jim šlo především o to, aby někteří z vás nakonec neucukli. To víte, ono se lépe jedná s jedním majitelem než s dvaceti, a kdo by si dovolil riskovat, když staví město.

Město!? My mysleli, že se u nás našel bauxit.

Ale kdepak! mávl Robertson rukou. Bauxitové naleziště zasahuje vaši farmu celkem nepatrně, ale zato máte ideální polohu pro dělnické sídliště. Především díky vodě, Jalboi Creek, to je váš hlavní trumf.

Město... opakoval Jůžin užasle, to znamená, že povolí rozparcelování?

Ale to... to... to bysme byli milionáři!

Milionáři ne, je vás dvacet, ale boháči ano. Nesmíte ovšem zapomenout, že rozhodnutí ještě nepadlo. Město se může postavit kdekoliv a kolem je dost farmářů, kteří prodají za mnohem méně než vy, protože se nemusí s nikým dělit. Také pro správu je jednání s nimi mnohem jednodušší. Vy máte co-op, ve kterém se výslovně garantuje právo každého podílníka, to znamená, že neexistuje většina, která by přehlasovala menšinu. Když jeden z vás řekne neprodám, nemůže ho k tomu nikdo donutit.

Robertson se odmlčel a pohlédl na hodinky: Polední

přestávka je téměř pryč, musím už jít. Těšilo mě, mládenci, a kdybyste něco potřebovali, víte, kde mne najít.

Co teď? řekl jsem, když odešel. Neměli bysme se podívat na tu poštovní schránku? Třeba ji ještě nevybral.

Jen v klidu dojez oběd, navrhl Jůžin, ať to byl, kdo chtěl, má klíče od rána a jestli není úplně blbej, tak je schránka prázdná. Přece nebudem stát někde na poště jak dva vocasové.

Máš pravdu, uznal jsem, ale jíst už nebudu, je to moc pálivý.

Jůžin se nahnul přes stůl a nabodl vidličkou červenou papričku z mého talíře. Já to dojím, řekl. Chvíli to trvalo, ale pak vytřeštil oči, popadl sklenici s vínem a překlopil ji do sebe. Hned za sklenicí šel kyblík s ledem, který se mezitím rozpustil. Nebyl jsem sám, kdo to s potěšením pozoroval.

A só, řekl obsluhující Číňan a postavil před Jůžina džbán s chladnou vodou. Zdálo se mi, že to znělo jako ass hole.

Já to nebyl, vřeštěl Bimbam, přísahám, kluci, že já to neudělal!

A kdo to udělal? zeptal jsem se a praštil ho do žaludku. Zlomilo ho to v pase a vyrazilo z něj dech. Zalapal po vzduchu, ale nedal jsem mu příležitost, aby se nadechl, a okamžitě jsem ho udeřil pěstí do úst. Narovnalo ho to. Přepadl nazad na stěnu stodoly a svezl se po ní k zemi.

Vůbec jsem ho nepoznával, takovej rváč a najednou ztratil odvahu se i bránit. Tohle jsem nečekal a vztek mě pomalu opouštěl.

Dostanu to z tebe, i kdybych tě měl umučit, připomněl jsem mu, ale nezabral.

Já to fakt neudělal, sípal.

Neříkáme, žes to udělal zrovna ty, vložil se do toho Jůžin, ale jeden z vás to byl, a ty víš, kdo!

Kdybych věděl, proč bych zapíral? Já měl Pavla rád...

To nevím, proč zapíráš, třeba máš důvod.

Voba jste se zbláznili, jakej důvod?

To nám musíš říct ty, popadl jsem ho pod krkem a zvedl. Nebránil se, jen se přikrčil a očekával ránu. Dal jsem mu ji, a pak druhou a další. Bylo to k vzteku. Takhle jsem si naše vyrovnání nepředstavoval, takhle teda ne. Na co mi kůrung vyléčil rameno? Abych tady do něj tloukl jak do sloupu? Rozevřel jsem pěsti a pozorně se na něj zadíval. Sotva stál. Nohy se mu třásly a zády se opíral o zeď stodoly, kam ho Jůžin vlákal. Nejzajímavější bylo, že nekřičel o pomoc. Byli v Kapličce všichni čtyři a kdyby zavolal, mohla se situace obrátit, ale buď ho to nenapadlo, nebo nechtěl.

Proč nezavoláš o pomoc? zeptal jsem se.

Nechci.

Tak se aspoň, kurva, braň!

Zavrtěl hlavou.

Proč?

Protože se bojí, houkl Jůžin, ale Bimbam ho nevnímal.

Protože si to zasloužím, odpověděl pomalu, protože ty jsi na straně práva.

Tomu věř, že jsem! řekl jsem, ale už bez vzteku. Nerozuměl jsem mu. Zabil snad Pavla on a teď si uvědomil, co udělal? Snažil jsem se vžít do jeho situace, ale nebylo to lehké. Nedovedl jsem si představit, že bych dokázal někoho zabít. Marie tvrdila, že člověk má v sobě všechno a co dokáže jeden, dokážeme všichni, nebo jsme toho aspoň schopni za určitých okolností. Něco na tom bylo. Nedokázal bych opravdu zabít? Když mě Bimbam mlátil

na louce v buši, taky jsem si nemyslel, že bych to do-
kázal, a teď do něj bez milosti buším. Já k tomu mám
ovšem důvod, a to vážný důvod, ale tenkrát se zdálo
zase jemu, že má vážný důvod... asi záleží, z jakého úhlu
se na věc díváme. Představil jsem si, že jsme ve vesmíru.
Já a on a neznámý pozorovatel. Bylo by možné, kdyby
se náhled pozorování změnil, aby se situace vyměnily?
Abych to byl já, kdo je bit?

Musel jsem uznat, že záleželo na stanovisku pozoro-
vatele. Bylo docela možné že jsem tu dostával výprask,
byť i jen morální. Souvislost věcí začala v mém myšlení
dostávat náhle nový spád. Jsme jeden jako druhý, jen
naše činy nás různí. Člověk je součástí lidstva, jeho
nepatrnou částí a jako takový má svůj význam, ale lidstvo
je zase jako jeden člověk. Táhne se časem, vyrůstá a jako
takové tvoří jedince. Jeden organismus. Kůrung měl
pravdu. Nazíráno takto, bylo i mé rameno inteligentní
a samostatnou jednotkou. Nešlo to, bít Bimbama a nebít
i sám sebe.

Běž, řekl jsem mu, jsi nešťastný člověk.

Udiveně na mne pohlédl a pak vykročil k východu.

Seš cvok nebo co? vyjekl Jůžin. Máme ho v hrsti, ne-
můžeš ho přece pustit.

Je to nešťastný člověk, opakoval jsem pevně.

Ser na nešťastného člověka, tady de vo vraždu!

Umlčel jsem ho pohybem ruky. Bimbamův odchod
mně něco připomínal. Byl k nám otočen zády a jak šel,
dal si ruce na obličej, jakoby plakal, a záda se mu zakula-
tila. Hlavou mi blesklo poznání.

Bimbame, řekl jsem, já tě viděl. Viděl jsem tě, když
jsi mu seděl na nohách, aby se nemohl bránit.

Prudce se otočil a vytřeštil na mne oči.

Ten druhý, co seděl před tebou, mu kroutil ruku a tahal
ho za vlasy.

Bimbam se rozplakal: Já to neudělal...

Ne, tys to neudělal, ale proč ho kryješ?

Má obrovskou moc, zašeptal a polekaně se rozhlédl, Same, ty si ani neumíš představit, jak velkou moc má. Je silnější, silnější než ty, já, my oba dohromady.

Moc je přelud, řekl jsem, má nad tebou moc, jen dokud si to myslíš. Běž a boj se, máš čeho. Jsi jedinej, o kom ví, že ho přitom viděl. Už tě napadlo, co udělá, až si to uvědomí?

Brada mu poklesla. Pak se beze slova otočil a vyběhl ze stodoly.

Ty víš, kdo to udělal? zeptal se Jůžin překvapeně.

Ne. Mám jen podezření.

Baba! Ten hajzl černej, kdo jinej by tady měl moc?

Pokrčil jsem rameny.

A jak jsi věděl, že mu seděl na nohou?

Sen, odvětil jsem vyhýbavě. Ale zapůsobilo to na něj, co?

Nechápu, proč jsi ho pustil. Stačilo ho zmáčknout, pokud možno na vejcích, a vyzpíval všechno.

Odmlčel jsem se. Eva s Marií pozorně naslouchaly, co jsme s Jůžinem zažili.

A opravdu víš, kdo ho zabil? zeptala se Eva.

Mám jen podezření, nemůžu to dokázat.

A na koho máš podezření?

Zatím ti to neřeknu. Možná, že se mýlím, ale udělej si úsudek sama. Víme, že to byl jeden z těch pěti. Bimbam v tom měl prsty, ale sám to neudělal. Philip také ne.

Proč ne Philip? zeptala se Marie.

Protože neměl důvod. Zabití nebylo náhodné, ale do poslední chvíle nikdo, asi ani vrah nevěděl, že se to stane. Ten řez na krku Pavla umlčel, aby něco nevyzradil. A to něco muselo přijít náhle, nečekaně a vraha tak postrašit, že přestal uvažovat a využil situace. Muselo to mít něco společného s penězi, buď za farmu nebo za drogy. O tom, kromě Pavla, věděli jen tři lidé. Věšák, Baba a Mafia.

Mafiu bych vynechal, řekl Jůžin, jednak je to blbec, a kromě toho neměl přehled o farmě.

To bys musel vynechat i Věšáka, ten zase neměl přehled o drogách.

Taky že ho vynechám a tím pádem nám zbejvá Baba a to je ten lump, kterýho hledáme. Jen si vzpomeň, co říkal Bimbam. Že má moc, o jaký se nám ani nezdá, a kdo tady má moc? Baba!

Zapomněl jsi, co mi ten večer řekl sám Pavel, že bych se divil, kdo je tady opravdový vůdce. Baba ne, já Věšáka s Mafiou nevynechám.

Já zase Babu. Je jedinej, koho ty blbci poslouchaj na slovo.

Jak potom vysvětlíš toho opravdového vůdce?

Co já vím? Možná, že to je někdo venku. Tady se jedná vo dost velký peníze, jen vezmi tu nabídku dvanácti tisíc pro každýho, to je dohromady dvěstěčtyřicet papírů, a to je moc velký sousto i pro všechny tři dohromady. Taky ty věčný informace ze správy, furt všechno věděli dopředu. Ten někdo nebyl jen tak někdo, mohl to klidně bejt ten Pavlův vůdce.

To je velice dobrej postřeh, řekl jsem obdivně a zamyslel se.

Jestliže Jůžin měl pravdu, pak ten někdo nemohl být nikdo jiný než alderman Watkins, ale proč by to dělal? Jedině pro peníze, napadlo mě. Někde v tom jsou peníze, a to veliký peníze, protože alderman by neriskoval kariéru pro blbejch dvanáct tisíc, ale kde?

A najednou jsem dostal nápad. Bože můj, já blbec, nadával jsem si, jak jsem to mohl přehlédnout! Všechno začalo pozvolna zapadat do sebe.

Průser je v tom, pokračoval Jůžin, co vlastně uděláme.

Philipa jsme vyřadili, Bimbama taky, ale koho máme zmáčknout teď? Pochybuji, že jim Bimbam něco řekne, ale když zmáčkeneme nepravýho z těch tří, dá ostatním echo a máme je všechny na krku.

Nikoho mačkat nebudem, řekl jsem, zítra si zajedeme do Port Douglasu a pozveme Robertsona zase na oběd. Byl jsem úplně blbej, když jsem se ho nezeptal na pár maličkostí. Mohlo nám to být jasné hned na začátku.

Co? Vrah?

Ne. Proč se dělo, co se dělo, a kdo v tom má prsty. Jméno vraha si zjistíme ještě předtím.

Jak?

Jednoduše, uděláme prohlídku. Vrah Pavla zabil, protože na něj Pavel něco věděl. A chtěl to vyzradit. Kdyby to byla náhoda, nevěděl by vrah o jeho poštovní schránce a nevybral ji před náma. Ráno prohledáme obydlí našich třech podezřelejch. Kdo z nich má Pavlův deník, je vrah.

Dobrej nápad, pochválil mě Jůžin. Sice by mě zajímalo, jak to chceš udělat, aby nás nikdo neviděl, ale eště víc mě zajímá, co budeme dělat, jestli vrah deník zničil.

To bysme, na chvíli, byli zase v prdeli, musel jsem uznat.

A byli jsme. Když všichni odjeli do práce, vplížili jsme se do Kapličky a začali s prohlídkou. Jediný, kdo nás mohl při tom chytit, byl Baba, který nepracoval, ale Baba doma nebyl. Na skobě ve zdi visela jeho dlouhá róba, ale po jejím majiteli se slehla zem.

Kde může být? ptal se Jůžin rozladěně. V prohlídku moc nevěřil, jen doufal, že zastihne Babu samotného a konečně si s ním promluví. Chtěl ho zkrátka zmáčknout a mačkat tak dlouho, až se buď nešťastník přizná, nebo nám řekne, kdo to udělal. Ale dobře jsem tušil, co ho zajímalo nejvíce. Pořád ho pálila otázka, zda Ranujahne měl něco s Evou, ale zároveň se bál odpovědi.

Při prohlídce jsme nenašli nic. Pak jsme zajeli k Věšákovi. Měl karavan kousek od Kapličky a bydlel zde s Mafiou. To nám značně ulehčilo práci, ale deník tu také nebyl. Zato jsme objevili něco jiného. Mafia si vedl záznamy o prodeji drog. Měl je v malém modrém zápisníčku se spoustou adres a telefonních čísel. Z té spousty jsem usuzoval, že se jednalo více o zákazníky než dodavatele, ale byly tu i záznamy nákupů. Bylo to zajímavé čtení a měli jsme obrovské štěstí, že jsme zápisník našli. Tony byl opatrný a měl ho zahrabaný v nádobě s fazolemi. Kdybych ji omylem nepřevrhl, nenašli jsme nic.

To by mě zajímalo, řekl Jůžin, jestli to schovává před náma nebo i před Věšákem.

Mám dojem, že o tomhle Věšák neví.

Něco vědět musel, přece spolu bydlej, ne?

Pokrčil jsem rameny: Víš, za kolik Mafia v minulém roce nakoupil?

Za kolik?

Přibližně za deset tisíc, zalistoval jsem v knize.

To není možný! A kolik vydělal?

To tu není, ale dalo by se to přibližně spočítat.

Tak to spočítej.

To uděláme až doma. Teď je na čase, abysme vypadli.

Jeli jsme za Robertsonem. Byl velice zaneprázdněn a na oběd s námi nešel, ale pozval nás do kanceláře.

Pane Robertsone, řekl jsem, máte málo času a my taky. Mám jen dvě otázky a jestli na ně víte odpověď, budeme vám moc zavázáni.

Takhle to mám rád, usmál se, pěkně přímo k věci. Tak především, mám dojem, že vím, na co se chceš zeptat. Mohl jsem ti to říci už minule, ale po tom podvodu s falešným Samem jsem se rozhodl být opatrný a nejprve si zjistit, zda to jsi opravdu ty. Chceš vědět, na čí jméno se ukládaly peníze viď?

Jak to víte?

Radil jsem Pavlovi... mávl rukou. Na tom už nezáleží. Konta byla dvě. Obě na Bratrstvo a k oběma měli přístup pouze Ranujahne a Byrne. K jednomu dělal Pavel vyúčtování, bylo na něm skoro tři tisíce dolarů, to snad znáte?

Přikývli jsme.

Druhé bylo tajné a kromě zmíněných dvou džentlmenů o něm věděl jen Pavel... a já. A na tomhle tajném kontě je přes jedenáct tisíc.

Používali je pro Bratrstvo nebo na ně jenom ukládali?

Používali. Platili z něj věci, které nechtěli nebo nemohli přiznat na daních. Pavel měl ovšem dojem, že vedle toho existovalo ještě další konto, o kterém nevěděl, ale neměl důkazy. Domníval se to, protože z něčeho se musel platit nákup drog a z těch dvou kont to nešlo, to by byl věděl. Víte, kdo se staral o drogy?

Mafia... řekl Jůžin.

Psst, Robertson si přikryl rty ukazováčkem, já od vás nechci slyšet žádná jména, ale kdybych byl váma, posvítil bych si na tohohle, jak jste to říkal?

Maf... eh, lumpa, opravil se Jůžin.

Tak. Na tohohle lumpa bych si posvítil. To je tak všechno, chlapci, co vám mohu poradit.

Ještě jednu otázku, řekl jsem rychle, jak se jmenuje ta zprostředkovatelská firma, co má naši farmu vykoupit, a kdo za tím je?

To je právní firma Kanoe z Brisbane a vede ji pan Byrne, velice bohatý a vlivný člověk.

Není on, tak nějak, ve spojení s Watkinsem?

Na to už vůbec nemohu odpovědět, ale na vašem místě bych předpokládal, že správa nezadá delikátní právní operaci někomu, koho vůbec nezná... A teď už opravdu musíme končit.

Vstali jsme a potřásli mu rukou. Vyprovodil nás ke dveřím a udělil poslední radu: Na toho Watkinse bych se vykašlal. Může vám to něco objasnit, ale je to vše naprosto legální. Firma Kanoe je solidní firma, tam neprorazíte. A otevřel dveře.

Kam teď? zeptal se Jůžin, když jsme vyšli ven.

Nevím, pokrčil jsem rameny. Už jsem věděl, jak to bylo s farmou a jakou boudu na nás ušili, ale co se týkalo vraždy, pořád jsem si nebyl jist. Ani ne tak kandidáty, jako spíše důkazy. Stopy vedly k vrahovi oklikou a bylo nesmírně těžké dokázat mu více než motiv, a tím byla především panika, ale to nebyl důkaz. Jediný, kdo mohl něco dokázat, byl Bimbam. Chvílemi mě dokonce mrzelo, že jsem ho tenkrát ze stodoly pustil, ale snažil jsem se to potlačit. Marie na mne byla velice pyšná, když jsem jí to vyprávěl. Dobře jsi udělal, prohlásila, byl to výslech také tvého charakteru. Teď je řada na Bimbamovi, pro co se rozhodne. Mimochodem, už tě napadlo, co uděláš, až přijdeš na to, kdo Pavla zabil? Já jen doufám, že ho nehledáš, aby ses pomstil. To by ste si jen vyměnili role...

Po pravdě řečeno, až do té chvíle jsem na to nepomyslil. Teď, když už jsem hledal důkaz k potvrzení svých teorií, mě ta otázka začínala lehce trápit. Co vlastně budu dělat? Zastřelím ho, půjdu na policii, nebo ho nechám jít jako Bimbama? Nevěděl jsem.

Pojď na letiště, dáme si pivo, přerušil mé úvahy Jůžin.

Myslel jsem, že nepiješ.

To říkáš ty? Ty, který do mne nedávno nalil půl litru vína?

Nic jsem do tebe nenalil, vypils to sám.

A kdo mi před tím vychlastal všechnu šťávu? Kdo mně podstrčil pálivou papriku?

Nic jsem ti nepodstrčil.

Měls mne varovat!

Máš slabou vůli a hledáš výmluvu.

Já a slabou vůli? Už dva měsíce nepiju, a tomu ty říkáš slabá vůle? Tak poslouchej, jdeme na letiště a dáme si sodovku. Já ti ukážu slabou vůli!

Sodovku?

No, možná že ji něčím zředím, ale jinak pít nebudu.

Letiště bylo poloprázdné. V restauraci jsme koupili drinky a zašli s nimi ke skleněné stěně u balkónu. Byl tu pěkný výhled na přistávající letadla a pohodlně se tu sedělo. Sledovali jsme chvíli jednomotorové cessny, kterými přilétaly ze vzdálených farem rodiny farmářů za nákupy do města. Pak přistál "létající doktor". Pilot obratně zajel až k hangáru, kde na něj už čekala sanitka. Dva zřízenci hbitě přistavili schůdky a za chvíli už vynášeli někoho na nosítkách.

Ten létající doktor, to je vymoženost, viď? Povídám, že ten létající doktor je vymoženost, opakoval jsem, ale Jůžin mě neposlouchal. Zíral tupě do sálu a létajícímu doktorovi nevěnoval pozornost. Otočil jsem se, ale nic jsem neviděl. Sál byl prázdný, jen u baru, kde jsme si před chvílí koupili pivo, stál tmavý míšenec s černými vlasy až na krk.

Co je? zeptal jsem se. Nějak jsi po tom pivu ztuh, to bude nezvyk.

To je Baba, má paruku...

Pohlédl jsem opět k baru. Míšenec se otočil a vykročil směrem k nám. Pak nás spatřil. Nerozhodně se zastavil a přešlápl.

Jen pojď, houkl Jůžin, už tě čekáme.

Baba přisedl, ale na očích jsem mu viděl, že je nervózní. Jak víte, že dnes odlétám? zeptal se.

My víme věcí, usmál se Jůžin, to by ses divil. A kam vlatně letíš?

Domů.

A že ses ani nerozloučil? To se nedělá, přítelíčku, kamarád se musí umět rozloučit. To se musí oslavit! Dáš si s náma drinka! Jůžin se zvedl a vyrazil k baru. Za chvíli se vrátil s dvěma džbány piva a jednou sklenicí.

Ty ses zbláznil! vybuchl Baba. Já nepiju.

Ale piješ! Eva taky nekouřila trávu, ale pak, ze slušnosti k tobě, začala, a ty teď máš vynikající možnost se ze slušnosti se mnou napít, tak pij. A obouruč rozlil pivo do sklenic. Všiml jsem si, že sobě a mně nalil ze stejného džbánu.

Tak na tu tvoji cestu, zahlaholil Jůžin, na ex!

Baba do sebe zvrátil skleničku a okamžitě se rozkašlal: Co... co..., sípal, cos do toho dal?

Trochu džinu, to víš, pro tebe jen to nejlepší, a znovu mu nalil.

Ne, já už nepiju!

To nejde, teď si musíš ťuknout se Samem, jinak bys ho hrozně urazil.

Starej českej zvyk, řekl jsem vesele, musíš si se všema ťuknout!

Baba se na mne podezíravě podíval a nešťastně si ťukl, ale pít nechtěl. Pozvedl sklenici ke rtům a trochu usrkl, ale Jůžin to čekal a přirazil mu ji k ústům a nepovolil, dokud Baba nedopil. Pak nám znovu nalil a vesele prohlásil: Tak, a teď všichni najednou! Ale Babu přešla všechna veselost.

Jestli si myslíš, že mne opiješ, tak jsi na omylu, prohlásil drze.

Kdo tady mluví o opití? zvážněl Jůžin. My tady pijeme dle prastarého českého zvyku, přece nechceš urazit naši vlast?!

Seru vám na vlast, já už nepiju!

Slyšels to? obrátil se Jůžin. Slyšels ho, holoubka? Tváří se jako kamarád a pak urazí zemí odkud pocházíme. Víš, že to je trestné?

Nepiju!

Jůžin vstal a rychle si přesedl. Měli jsme teď Babu mezi sebou a nemohl utéci, i kdyby chtěl.

Poslouchej, kamaráde, já vím, že ty neznáš starý český zvyky a jsem připravenej leccos tolerovat, ale jestli si s náma rychle neťukneš, nejenže zmeškáš letadlo, ale možná, že už vůbec nepoletíš.

Baba nervózně polkl: Pustíte mne, když to všechno vypiju?

Pustíme? My tě slavnostně vyprovodíme.

Tak dobře, řekl Baba. Uchopil džbán oběma rukama, přiložil ho k ústům a s odporem se pustil do obsahu. Trvalo mu to hodnou chvíli, ale nepovolil. Pak postavil prázdný džbán na stůl, otřel si ústa a říhl.

Pane, to byl výkon, uznal Jůžin, z tebe by byl dobrej Čech.

Baba neodpověděl. Vstal a prosebně se na nás podíval.

Kam se hrneš? Dopij ještě ten druhý džbán.

To nebylo umluveno! vybuchl Baba.

Jakpak by ne? Sám jsi řekl, že vypiješ všechno.

Nemůžu vypít tolik najednou.

To taky po tobě nikdo nechce. Pěkně si sedni, počkej, až se to v tobě slehne, a pak to doraž. Zatím si můžeme povídat.

To jsem čekal, pokýval hlavou nešťastník, obelhali jste mne a teď ze mne chcete páčit rozumy.

Vůbec ne. Nemusíš nám nic říkat, ale upozorňuju tě, že nesmíš lhát. Kdybys lhal, to bych se pak neznal, víš? To je starý...

Já vím, český zvyk.

Správně! Tady jasně vidíš, že u skleničky si lidi nejvíc rozuměj. Ale abych to nezdržoval, kam letíš?

Do Sydney.

Říkal jsi, že letíš domů?

Jsem ze Sydney.

Já myslel, že z Indie.

To jsem nikdy netvrdil.

Říkalo se to.

Říkalo, a já to nevyvracel. No a?

Proč vlastně odlítáš? zeptal jsem se rychle.

Proč ne? Já ve farmě akcie nemám.

O to nejde, ale víš, jak to vypadá? Někdo zabil Pavla a ty se chceš vypařit, aniž by o tom kdo věděl.

Já se vypařit nechtěl, řekl překvapeně, jako by ho teprve teď napadlo, co to mohlo znamenat, ale koupili mi lístek.

Kdo?

Věšák s Mafiou. Dnes večer je porada, tam vám vše vysvětlí.

Takže nás povede Věšák?

To nevím. To je na vás. Běžte večer na poradu a tam se všechno dozvíte.

Nebylo by lepší, abys tam byl taky a osobně všechno vysvětlil? Mohlo by se stát, že by se tam říkaly věci, které by tě mrzely. Někdo by si mohl myslet, žes to byl ty, kdo zabil Pavla.

Já Pavla nezabil!

Já ti věřím, ale co ostatní? Představ si tu příležitost pro vraha. Stačí, když vystoupí a řekne, že tě přitom viděl a že teď utíkáš. Kdo mu to může vyvrátit?

Já jsem... zaváhal, já jsem všechno vysvětlil Věšákovi, měl by to večer potvrdit.

Co když to ale udělal on?

To nevím.

Jakej vlastně Věšák je?

Znovu zaváhal: Pověrčivej. Je to dobrej organizátor, fér kluk, ale hrozně pověrčivej. Jednou za mnou přišel, žes ho prý uhranul. Musel jsem s ním meditovat a udělat mu amulet, aby ho to přešlo.

To jsem netušil, řekl jsem překvapeně. Zdálo se mi, že Babovi ztěžkla víčka, možná, že alkohol začal působit, napadlo mě. Chvíli jsme seděli mlčky a pak jsem vypálil otázku.

Kdo vybral Pavlovu schránku?

Maf... Mafia, kousl se do rtů.

Poslals ho?

Ne. Poslal ho Věšák. Já už s tím nechtěl a nechci mít nic společného. Proto taky odjíždím.

To dost brzo. Byls to ty, kdo nás všechny zblbnul do Bratrstva. Byls to ty, kdo nás zorganizoval k odporu proti správě a byls to ty, kdo všechno řídil a vedl. Tys byl hlavou všeho dění a seš za to zodpovědnej. A teď, když se loď potápí, chceš utéct.

To není ppravda! poprvé v řeči zaškobrtl. Já vás jenom učil meditovat a to jste po mně chtěli. Hlavou všeho byl Věšák Byrne a Mafia Calvi. Já Mafiu nemoh ani cítit, ale Věšák mě ppřemluvil. Tvrdil, že nám Mafia vydělá na drogách, ale okradli mě. Mafia vybral všechny peníze, teď už není na kontu ani cent. Kdyby mně nekoupili lístek do Sydney, nneměl bych ani na letadlo. Já vám rok dělal učitele úplně zadarmo! Jsem chudej jak kostelní mmyš.

Kdo zabil Pavla?

Babovi vytrysky slzy: Já ne. Kluci, přísahám, že já

ne. Ten večer, cos utek, chtěl Pavel všechno vykecat o drogách a o farmě, ale oni mu zabránili. Ch-chytili ho a vynesli ven, ale kdo to udělal, to nevím. A nechci vědět!

Kdo ho vynes ven?

Věšák s Mafiou a Bimbamem, pprotože chchtěl říct o farmě... opakoval. Mluvil o farmě, o jejím prodeji a jak se měly dělit podíly, ale většinu z toho jsem znal a zbytek už dávno uhádl. Vyměnili jsme si s Jůžinem pohledy a vstali.

Pojď, doprovodíme tě k letadlu, jak jsme slíbili.

Ale j-já eště nnedopil!

Byl to hloupej českej zvyk, řekl Jůžin, dávno zastaralej, ser na to...

Tto ne! J-já to doppiju. Chopil se zbylého džbánu a hltavě pil.

Cos do toho dal? zeptal jsem se česky.

Láhev džinu a dolil pivem, ale chutná mu, hajzlovi, co? Myslíš, že mluví pravdu?

Mluví.

Uchopili jsme Babu v podpaždí a zvedli ho. Hlava se mu opile klátila ze strany na stranu, ale šel bez podlamování. Zavedli jsme ho k záchodu a otevřeli dveře.

Kkkam j-jdeme?

Na hajzl.

Baba se vpotácel dovnitř a stoupl si ke žlábku. Byl už značně opilý a sotva stál. Dívali jsme se, jak si čůrá na nohy, ale nevadilo mu to.

Je tvůj, řekl jsem a postavil se ke dveřím.

Jůžin si Babu obrátil a vyštěkl: Dobře poslouchej! Chci se něco dozvědět a dovím se to, i kdybych tě tu měl našlapat do žlábku a pochcat k utopení. Šukal si s E... nedořekl. Nenašel sílu.

Já šš-šukám rád, usmál se Baba opile, ale v Sydney jsem toho mmoc nenaššukal.

Zasmušil se a do očí mu vhrkly slzy: Vvy vvíte hovno,

kluci. Já se tu nnarodil, ale naši ppřiššli ze Sstředního Vvýchodu. Vvíte vvy, co já zzkusil? Ss tmavou kůží? Vve ššškole mi jinak neřekli než wwogu! A hholky sse mi ssmály, žádná sse mnou nechtěla jjít... teď je tto jinný, rozesmál se, tteď si vvšichni mysslej, že ssem indickej mystik a holky zza mnou bblázněj.

Jůžin spustil ruce, plivl do žlábku a otočil se.

Pojď, pokynul mi, nejlepší bude, když se to nedozvím.

Překvapils mne, prohlásil jsem na zpáteční cestě, myslel jsem, že ty seš ten typ, kterej když někoho zmáčkne, tak už ho domačká...

Vono to není tak jednoduchý. Někoho zmáčkneš, a pak už musíš bít, odpověděl, kdyby mně řek, že s Evou něco měl, moh jsem ho tam umlátit. A mám já zapotřebí, abych byl z toho pak nešťastnej. Takhle nic nevím a ať je nešťastnej von...

Příprava na poradu byla důkladná. Oblékl jsem se do volné košile, abych v jejích záhybech mohl uschovat pistoli, a veden šestým smyslem jsem přidal i kůrungovu kost. Jůžin to měl horší, musel ukrýt pušku. Potřebovali jsme ji, kdyby vše nešlo podle plánu a dav se zase rozhodl zlynčovat mě, ale dostat pušku do sálu bylo nemožné. Domluvili jsme se, že na poradu přijdeme pozdě, až už budou všichni uvnitř. Já vejdu první a rychle sál přejdu ke kuchyňským dveřím. Kdybych potřeboval, mohu utéci zadem. Předpokládal jsem, že můj příchod odláká pozornost od Jůžina, který toho využije a usadí se u dveří. Pušku nechá přede dveřmi, někde ve stínu, aby ji neobjevil hned první člověk, který půjde na záchod. Kdyby se situace zhoršila, stačí vyklouznout ven, sebrat zbraň a ode dveří s ní ohrožovat přítomné. Já pak vytáhnu pistoli a oba vycouváme se zbraněmi v rukou. Auto necháme opodál, motorem k silnici. Ten kousek k vozu doběhneme a než se pronásledovatelé vzpamatují, vyběhnou a otočí svá auta o 180 stupňů, budeme mít slušný náskok.

Problém byl s Evou a Marií. Obě odmítli čekat doma nebo sedět v autě a chtěly se porady zúčastnit. Jediný, kdo byl ochoten v autě čekat, byl Borek, ale kladl si podmínku, že bude řídit. Nepomohlo naše přemlouvání. Nakonec jsme rozhodli, že nezbýv, než je vzít s sebou a v případě potřeby držet osazenstvo Kapličky v šachu tak dlouho, než usoudíme, že holky jsou už v autu. Jůžina to štvalo, zbytek odpoledne chodil po verandě a žbrblal, ale jinak byl klidný. Já jsem byl naopak nervózní. Lehl jsem si do hamaky a snažil se na nic nemyslet, ale nešlo to. Ruce se mi potily a hlavou se táhly nepříjemné myšlenky. Marie to vytušila. Párkrát mě zhoupla a usmála se. Také jsem se usmál a vzal ji za ruku.

Víš, co jim večer řekneš?

Přikývl jsem.

Bojíš se?

Trochu.

To je dobře. Kdyby ses nebál, nebylo by to přirozené a stejně bych ti to nevěřila.

Jde o to, aby mi věřili oni.

Budou ti věřit, prohlásila pevně, vím to.

Škoda, že to nevím já.

Měl jsi se zeptat Kůrunga, ten ví všechno.

Měl. Stejně by mě zajímalo, proč mi tolik důvěřuje?

To je dobré znamení. Domorodci obvykle neprojevují tolik důvěry cizincům a to, že tě vzal k posvátnému místu, je neslýchané. Přemýšlela jsem o tom a víš, co mě napadlo?

Co?

Duhové údolí tvoří přirozenou hráz bílé rozpínavosti. Kdyby se mělo rozparcelovat, začnou osadníci pronikat na území Toogoolawského kmene. Kůrung není hloupý a vůbec bych se nedivila, kdyby tohle byl hlavní důvod, proč ti pomáhá.

To je sice zajímavá úvaha, ale pochybuju, že se vyzná v našich rozepřích.

Možná, že ne rozumově, ale má cit a ví, nebo aspoň tuší, že se chceš přizpůsobit, naučit domorodou Cestu, to pro něj znamená hodně...

Sám už si nejsem jistej, co vlastně chci. Víš, jak by s náma mávali lidi jako je Watkins či Baba, kdybychom všichni byli prostí lidé Země? Člověk má dokonce chuť říct, proč se přizpůsobovat přírodě, když civilizace je to, čemu se přizpůsobovat musíme, abychom nevyhynuli jako domorodci.

Takže ty už nechceš...?

Ale chci, řekl jsem rychle.

To je dobře, usmála se. Pamatuješ, jak sis stěžoval, že ti chybí trochu černé krve?

Přikývl jsem.

Tak já ti ji dám.

Jak?

Budu s tebou mít dítě, rozzářila se.

Vykulil jsem oči a strhl ji k sobě na hamaku. Objala mě a zeptala se:

Máš radost?

Mám, potvrdil jsem, mám obrovskou radost, ani si neumíš představit jakou! Jestli to bude kluk, bude se jmenovat Pavel. Teď mám opravdový důvod, abych tohle údolí hájil.

Same, slib mi, že nejdeš na poradu, aby ses mstil?

Nejdu. Teď už nejde o pomstu, vrah se potrestal sám, ale člověk se musí postavit zlu.

Objala mě a políbila. Přisál jsem se k ní a držel, až začala ztrácet dech.

Tak děti, je čas, vyrušil nás Jůžinův hlas. Je čas jít.

No, Věšák si odkašlal, tak abysme začali, ne?

Přejel rychlým pohledem sál a zastavil se u mne.

Není tu Baba, houkl někdo.

Baba nepřijde. Věšák se zadíval znovu do sálu.

Jak to?

To vám všechno vysvětlím, proto jsme svolali poradu. Jsou tu všichni?

Sál zahučel a lidé se začali rozhlížet. Cítil jsem, jak mě pozorují kradmými pohledy, ale do očí se mi nepodíval nikdo. Jako při mém příchodu. Všichni ztichli a pozorovali mě, jako bych byl strašidlo. Šel jsem pomalu přes sál a opatrně je sledoval, ale uhýbali mému pohledu a klopili hlavy. Jestli se stydí, uvažoval jsem, je to dobré. Nemám ještě vyhráno, ale už nebudu mluvit ke stádu, jako posledně.

Všichni! Můžeš začít.

Věšák se nadechl a začal.

Bratři a sestry. Svolal jsem poradu, abych vám oznámil zánik Bratrstva.

Sál ztichl.

Staly se určité věci, které náš zánik předurčily, ale o tom teď nechci mluvit. Chci před vás jen postavit fakta, tak, jak jsou, abyste nejprve pochopili situaci a teprve pak o ní debatovali.

To není možný! křikl George.

Co budeme dělat? ozval se Harry. Přece se nerozpadnem teď, když jde o naše bytí. Co bude s farmou?

Kde je Baba? zaječela Jo-Anne.

Řečník si nervózně otřel čelo, ale nepotil se. Stál jsem

k němu nejblíže a dobře to viděl. Měl chladné oči a nervozitu předstíral, ale debata se mu vymykala z ruky. Jako Baba to neuměl.

Bratři, ztište se! volal. Všechno vám vysvětlím.

Chvíli to trvalo, než se sál ztišil.

Baba dnes odletěl, pokračoval Věšák, protože mu zemřela matka, ale k nám se, bohužel, nevrátí. Vyřizuje vám pozdravy a posílá poselství, přečtu vám je.

Věšák sáhl do kapsy a vyndal kus papíru. Pomalu jej rozložil a začal číst. Poselství bylo krátké a v Babově stylu. Měl jsem dojem, že je opravdu psal. Veliký vůdce se rozhodl k odchodu z osobních důvodů, ale v duchu zůstává s námi. Pár povzbudivých slov, abychom neuhnuli z Cesty, aspoň individuálně, když už ne v kolektivu, a na závěr nás vyzýval, abychom věřili Věšákovi, bez něhož, zdůraznil pisatel, by se Bratrstvo nikdy nedalo dohromady. Nakonec byla Babova adresa s poznámkou, že až si vyřídí svou osobní tragédii, pokusí se založit novou kolonii Bratrstva a uvítá v ní každého, kdo s ním byl v Duhovém údolí. Věšák dočetl a rozhlédl se:

Já osobně bych k tomu rád dodal pár věcí. Baba Ranujahne byl veliký muž. Bylo naším štěstím, že aspoň na chvíli pobyl s námi a něčemu nás naučil. A také bychom si měli uvědomit, že jsme se k němu ne vždy zachovali správně. Byl to on, kdo přinutil správu, aby nám nabídla velice výhodnou cenu za odstoupení údolí. A byl to on, kdo pro nás vybojoval vítězství proti policii, když nás chtěli vystěhovat násilím. A přitom on sám neměl ve farmě ani akcii! Byl nám vlastně vydán na milost a nemilost. Kdykoliv jsme ho mohli vyhnat. A někteří by to bývali chtěli... Kolik z vás by za takových podmínek pracovalo pro blaho Bratrstva? Pro blaho nás všech? Baba Ranujahne byl svatý člověk! Já nevěřím, že bez něj jsme schopni farmu uhájit a mám vážné obavy, že dalším vyjednáváním jen ztratíme a nakonec dostaneme od správy jako odstupné almužnu. Proto navrhuji přijmout poslední nabídku správy a odstěhovat se. Já osobně chci napsat Babovi, jet za ním a pomoci mu znovu vybudovat Bratrstvo. Tentokrát však jako rovný s rovným. I on musí mít akcie v novém Duhovém údolí! Řečník se usmál a vychytrale dodal: Přece ho nenecháme znovu odejít...?

Následovalo trapné ticho. Uvědomil jsem si, že Věšák to s davem neumí. Neměl Babův talent, ani jeho charisma, ale možná, že to věděl a nezáleželo mu na tom. V každém případě si vymyslel chytrý postup a navlékl to na nás dobře.

Já svůj podíl prodám a taky půjdu za Babou, ozval se Mafia.

Já také! přidal se Philip, ale moc to nezabralo.

Já neprodám! řekl jsem hlasitě. Kdyby tu byl Baba a měl akcie, také by neprodal.

To je tvůj názor, skočil mi Věšák okamžitě do řeči, k tomu se ještě dostanem.

Baba by neprodal, oponoval jsem.

To nemůžeš vědět, mávl rukou.

Jen ho nech mluvit! zařval Jůžin. Ať nám řekne, co ví.

Nic neví.

Mluvil jsem s Babou na letišti.

Tak ať nám to řekne, houkl někdo.

Dojde na něj řada, odvětil Věšák tvrdě, teď chci...

Nech ho mluvit, ozval se znovu Jůžin, má důležitou zprávu.

Tak ať mluví, zahulákal Harry.

Jen ho nech, přidali se někteří.

Věšák se nešťastně rozhlédl a pak bezmocně rozhodil rukama. Také jsem se rozhlédl a odkašlal. Všichni na mne civěli se zájmem.

Bylo tu řečeno, že Baba Ranujahne byl svatý člověk, začal jsem a sál souhlasně zahučel. Velikost muže se nedá měřit jeho svatostí, ale činy. Já znám také jednoho. Bydlí v údolí nočních papoušků a umí věci, že byste se divili. Dokáže na požádání zmizet, věštit budoucnost, zavést do minulosti a dokonce i přenášet lidi z místa na místo, aniž by o tom věděli...

Kdo to je? zeptala se Krystýna se zájmem.

Šaman. Toogoolawa medicine man. Třeba mi vůbec nevěříte. Na to máte právo, ale vzpomeňte si na Babu. Uměl věci, kterým se nevěří. A tak jsem se rozhodl, že vám dneska něco ukážu. Šaman mi dal takovou kost. Není to obyčejná kost, když s ní na někoho namíříte, je to jako prokletí. Ten člověk si to bude pamatovat až do smrti, to nejhorší, co kdy provedl, mu bude vyvstávat před očima.

Co to tady meleš? řekl Mafia. Tady se jedná o farmu a ne vo nějakýho pomatenýho šamana. Na to ti není nikdo zvědavej.

Jen ho nech, mne to zajímá, zamrkala Jo-Anne.

Měl prý důležitou zprávu od Baby.

To je pravda, uznal jsem, musím to vzít pěkně popořádku. Babu jsem naposled viděl dnes ráno. Potkal jsem ho na letišti a pěkně jsme si popovídali u sklenice piva.

Lžeš, řekl Věšák, Baba nepije!

Nepije, ale s náma si dal.

Vožral se jako prase, opravil mě Jůžin, přísahám, že se zchlastal jak dobytek, a jestli někdo řekne, že lžu, tak mu dám přes držku.

Baba nepije, opakoval Věšák.

Nepil, poučil jsem ho, ale tentokrát měl důvod. Stěžoval si, že ho odsud vyhnali a pil ze žalu.

Sál zahučel.

Kdo ho vyhnal? zeptal se George.

Lidi jako Sam! štěkl Mafia.

A to seš právě na omylu. Vyhnal jsi ho i ty. Jen si vzpomeň, tys byl první, koho se chtěl Baba zbavit. A byla chyba, že jsme mu v tom nepomohli, bohužel jsme ti naletěli. Dělal jsi ze sebe šaška a tvrdil nehoráznosti, jako žes zastřelil fízla... Ty, kterej zná na policii v Port Douglasu skoro každou šarži. Však nám to mělo bejt divné hned. Policie nás chtěla násilím vystěhovat, pořád hledala důvod, a ty sis tady vesele prodával drogy a toho si ani nevšimli. Já ti řeknu, proč si toho nevšimli. Protože jsi jim za to dobře platil! Měl jsi z čeho, protože za poslední rok jsi prodal za šedesát tisíc.

Lže! zařval Mafia. Nikdo ho neposlouchejte, lže! Za minulej rok se prodalo za deset tisíc!

Za deset jsi jenom nakoupil, a bez profitu neprodáváš! A jestli jsi za tu sumu prodal, kde je zbytek?

Zbytek čeho?

Zboží. Doma máš jenom fazole.

Ty hajzle.

Doma má jenom fazole, obrátil jsem se do sálu, a v nich modrej zápisník. Já si tu nevymejšlím, cituji z jeho cifer.

To je krádež! zbrunátněl Mafia. To si vodsereš! Vstal a vykročil ke mně. Okamžitě jsem vytáhl pistoli a namířil na něj: Je nabitá.

To je moje zbraň! Teď se zase Mafia obrátil do sálu. Ukrad mi ji a už dvakrát mě s ní ohrožoval na životě. Všichni jste svědkové!

To jsou. Počkej, až jim ukážu tvůj modrej zápisník.

Není můj! Přísahám, že si vymejšlí. Žádnej zápisník jsem nikdy neměl, to je podvod! Přece nebudu tak blbej a nepovedu si záznamy o nelegální činnosti?

Ještě před chvílí jsi tvrdil, že jsem ti ho ukrad... Ostatně, rukopis je tvůj, to se dá posoudit. Představte si, vydělal skoro padesát tisíc! Kolik nám to říkali při poslední poradě?

Tři tisíce, zahučel někdo.

Tak, tři tisíce, a Babovi koupili akorát lístek do Sydney, ani na pivo mu nedali, musel to zatáhnout Jůžin.

Shromáždění zahučelo. Mafia měl tvář zkřivenou zlostí.

Padesát tisíc se nevydělalo, to je lež! A že jsem něco z vydělanejch peněz ulil, to je moje věc, beze mne byste nedostali ani ty posraný tři tisíce. Taky jsem s tím měl výdaje, to nikoho nezajímá, co? Kolik se platilo policii, to nevíte, co? Beze mne byste vydělali velký hovno!

Ty pacholku, vyletěl Karl, co si to dovoluješ? Bez nás bys byl v prdeli! Tady ti to fízlové trpěli, ale na ulici v Port Douglasu bys neprodal ani unci! Tys potřeboval nás, a ne my tebe!

Já to dělal pro Bratrstvo, ječel Mafia.

Pozoroval jsem, jak se hádá s davem a jak proti němu roste opozice. Nejzajímavější bylo, že ani jednu stranu nenapadlo to nejdůležitější, že totiž jsme všichni, ať už aktivně nebo pasivně, pomáhali šířit lidské neštěstí. Všechny ty mladíky z Port Douglasu, kteří si u nás kupovali po nedělích trávu či prášek, ty všechny jsme měli na svědomí a teď jsme se hádali o to, jak jsme se podváděli navzájem. Bylo mi z toho nanic. Podíval jsem se na Věšáka. Mlčel a sledoval Mafiu. Zdálo se mi, že jím pohrdá. V očích měl posměch, ale jinak byl klidný. Nebyl jsem si jist, zda jím pohrdá proto, že mi naletěl, ale nic jiného mě v tu chvíli nenapadlo.

Já se tady nenechám urážet! ječel Mafia Všichni mi můžete vylízat prdel! A ty, obrátil se ke mně, ty si to vodsereš! Tobě, ty hajzle, to přijde draho. Nemysli si, že jsem zapomněl, jaks mne u Jůžina kopl. Já se ti pomstím, na to můžeš vzít jed! Zeměkoule ti bude malá! A vyběhl z Kapličky.

Nastalo rozpačité ticho. Pomalu, jeden po druhém se všichni začali dívat na mne. Jo-Anne se zájmem a Krystýna se dokonce usmívala. Usmál jsem se také.

Tak vidíte, prolomil jsem ticho, a k tomu hlavnímu, co mi Baba na letišti řekl, jsem se ani nedostal. Vždycky mně bylo divné, proč a jak jsme dostávali tak dobré informace ze správy a kdo je vlastně přinášel. Baba se nedivil, ten to věděl, a teď to vím i já. Na správě totiž existuje někdo, kdo od začátku věděl nejen to, že se v okolí našel bauxit, ale taky, že se tu bude stavět město.

Město, vydechli všichni překvapeně.

Ano. Město, které potřebuje vodu. A teď mi řekněte, kde je tu v okolí voda?

Jalboi! vykřikl George.

Správně, Jalboi Creek. Proti proudu leží domorodá rezervace, tam se stavět nedá. Nebo dá, ale politicky by to bylo neúnosné. Dovedete si jistě představit, jak by toho využili noviny. Dole po proudu jsou Mitchells' Rangers a tam se stavět nedá. Mezitím leží farma zvaná Duhové údolí, a ta má přímo ideální polohu. Kdokoliv ji vlastní, bude milionářem, pokud ovšem padne volba na Duhové údolí. A že padne, o tom si ten člověk nedělal iluze, byl tím kdo o tom měl rozhodovat. Jenže právě kvůli svému postavení nemohl farmu koupit sám. A tak utvořil akciovou společnost, ve které měl hlavní podíl, ale vedl ji někdo jiný. Právní společnost Kanoe z Brisbane. Až do tohohle momentu se zdá všechno v pořádku. V Duhovém údolí bydlí parta hipíků, když jim nabídneme slušnou cenu... jenže v tom se pan Watkins šeredně přepočítal, protože hipíci prodat nechtějí. Co teď? A tak si vymyslel další plán. Prostě jim znepříjemníme život, až z toho budou celí otrávení, a pak jim dáme nabídku, kterou nemohou odmítnout.

A teď si představte tu náhodu. Hlava brisbanské

společnosti má v Duhovém údolí syna! Ten právník se totiž jmenuje Byrne, zrovna tak jako bratr Věšák... Byls to ty, Věšáku, kdo nosil informace!

Podíval jsem se vítězoslavně na obžalovaného, ale ten přijal mou zprávu klidně.

Byl, řekl prostě, na to jsi nemusel tak dlouho přemýšlet. Kdyby ses mne zeptal přímo, mohl jsi to vědět už dávno. Zprávy jsem opravdu nosil já a dával mi je sám Watkins, ale že je ve spojení s firmou Kanoe, to jsem nevěděl. S otcem jsem se rozešel už před léty. Jen si vzpomeňte, za celou dobu, co tu jsem, mi nepřišel ani jeden dopis. Zprávy jsem nosil v dobrém přesvědčení, že pomáhám Bratrstvu, jestli mě Watkins s otcem využívali, to nechám k posouzení vám.

Nevyužívali, řekl jsem rychle, a tys to moc dobře věděl a já ti to dokážu! Byls to ty, kdo nás pořád přemlouval, abychom přijali nabídku správy.

Nebyl jsem sám. Baba chtěl nakonec také prodat.

To není pravda! Baba se za údolí bil a tys ho v tom podporoval, dokud ti to vyhovovalo, pak jsi ho přitlačil ke zdi. Přes otce sis zjistil, že Baba není žádnej indickej mystik, ale syn přistěhovalců z Turecka. Pak už stačilo Babu vydírat a nakonec jsi ho vyhnal...

Nevyhnal, lžeš! Baba je indickej mystik, stačí mu napsat.

Nestačí. Ta adresa je falešná, a ty to moc dobře víš. Nebyls ovšem jedinej, kdo tohle všechno věděl. Byl tu ještě někdo, kdo tvé tajemství vypátral, a toho nešlo vydírat. Ten někdo byl náš účetní Pavel... Kamarádi a kamarádky, obrátil jsem se do sálu, Pavel tu dnes večer není a už nikdy nebude. Nikdo vám to ještě neřekl, ale Pavel byl před týdnem zavražděn.

Sál zašuměl, všichni mi viseli na rtech.

Pavel byl zabit, aby nemohl mluvit.

Kdo to udělal? zeptal se Věšák drze.

Ty! vybuchl jsem. Tys ho zabil! Zabil si ho, aby nám nemohl říci, jak jste s Mafiou ulejvali peníze za drogy, ale hlavně proto, aby nám neřekl, jak nás chceš připravit o farmu!

Hezky se to poslouchá, řekl Věšák, ale máš moc bujnou fantazii a žádný důkazy.

Mluvil klidně, ale na čele mu vyrazil pot.

Něco ti ukážu, řekl jsem rychle. Když jsem mluvil o šamanovi z údolí nočních papoušků, nebylo to bez úmyslu. Je to veliký člověk a umí, rozumíš, umí! Vzal mě do minulosti a ukázal mi, jak jsi to udělal. Byli jste tři. Vynesli jste Pavla kuchyní na dvorek k mangovníku. Tys ho nesl vpředu. U mangovníku jste ho položili na zem. Pak jsi ho chytil za vlasy, zvrátil mu hlavu nazad a podřízl ho.

Seděl a pozoroval mě rozšířenýma očima. Na čele se mu zřetelně rýsoval pot. Vytáhl jsem šamanovu kost a zamířil na něj. Kost byla uprostřed převázána provázkem. Spustil jsem ji a držel za konec provázku. Otočila se kolem své osy a mířila na něj.

Pamatuj si, tohle je trest a prokletí, ten obraz, jak jsi ho zabil, ti nikdy nezmizí z mysli...

Dej to pryč! zařval. Po obou skráních mu začaly stékat těžké krůpěje potu.

Jdi s tím do hajzlu! řval a uskočil stranou, ale kost se otáčela a její špička na něj pořád mířila.

To je trik! křičel. Já to fakt nebyl!

Byl! ozval se hlas z davu. Byl si to ty! Kamarádi, řekl Bimbam vzlykavě, já jsem mu pomáhal Pavla vynést. Bylo to tak, jak říká Sam. Já jsem ale fakt nevěděl, že to udělá. Věřte mi, že jsem to ani netušil. Proboha!

Nastalo ticho. Bezhlasné mrtvé ticho.

První se vzpamatoval Věšák. Jediným skokem se přenesl ke dveřím. Nenamáhal se jejich otevřením a jednoduše je vyrazil. Rozpoutal se hluk. Ženy ječely a muži se hnali ke dveřím.

Nechte ho! zařval jsem. Nechte ho běžet! Už se nám nesmí stát... ostatně, daleko se nedostane. Zítra to oznámím, to už není naše věc!

Nerozhodně se zastavili. Co budeme dělat?

Dokončíme poradu, pokrčil jsem rameny. Kdo chce prodat farmu?

Já ne.

Já taky ne!

Nikdy farmu neprodáme!

Ale co když se tu opravdu postaví město?

Neposlouchal jsem je a díval se na Marii. Seděla s Evou u okna a pyšně na mne hleděla.

Holka, pomyslel jsem si, to hlavní teprve přijde. O farmu přece vůbec nejde, jde o lidi. Celý svět je farma, veliká farma, kterou chce pořád někdo prodat, rozparcelovat a vůbec na ní vydělat. A běhá na ní spousta Věšáků, Watkinsů a Mafiů a také Babů, ale jsou tu i jiní, jsou to lidé jako Pavel a Kůrung a my všichni dohromady tvoříme lidstvo, jediného člověka, a o toho člověka se právě musíme snažit. Aby žil v harmonii s tím, z čeho vyrůstá, aby se neuzavíral do různých Bratrstev, farmiček, ale uvědomil si jednotu věcí, činů a pocitů...

Same, seš pašák! poklepal mi na rameno George.

To seš, přidal se Harry.

Ať žije Sam! zavolal někdo.

Veď nás, Same!

Ano, ať nás vede Sam!

Díval jsem se na ně, jak mě obdivují a volají, a zaplavil mě neznámý pocit. Ze všech stran mě zaplavoval obdiv a sláva. Ten neznámý pocit mě přemáhal, až jsem si uvědomil, že to je moc. Měl jsem nad nimi moc a vědomí té síly mě přemáhalo. Už jsem se nedivil Babovi, že mu podlehl. Mocný je obětí sebe samého, napadlo mě.

Pak se ozvala rána. Výstřel mi splynul s bolestí. Cítil jsem, jak mě něco udeřilo ze strany do ramene a projelo někam hluboko dovnitř. Jak jsem padal, spatřil jsem Mafiu. Stál ve dveřích s kouřící puškou a okamžitě se otočil a zmizel ve tmě.

Nastal zmatek. První se ke mně prodrala Marie.

Ó Bože, naříkala, ó Bože!

Nic to není, snažil jsem se jí uklidnit, ale při každém slově mě bodlo hluboko uvnitř.

Jestli... jestli... já ho zabiju! dusila se pláčem.

Usmál jsem se: To říkáš ty? Ty, která jsi mě naučila promíjet?

Jestli umřeš...

Neumřu, prohlásil jsem chraplavě, vím, že neumřu.

Bolest uvnitř začala žhnout. Přemohl jsem se a znovu zachraptěl:

Kdybych měl umřít, Kůrung by mě byl varoval, tak se neboj. Nevím, kde se ta jistota ve mně brala, ale cítil jsem, že neumřu. Někdo mi dal něco pod hlavu. Cítil jsem, jak na mne jdou mrákoty. Jako z dálky jsem slyšel, jak někdo říká:

Já přinesu pušku.

Já tady pušku mám, ozval se Jůžinův hlas.

Já přivedu psa, zaznělo z velké dálky.

Rychle můžeme ho odříznout u brány, hoďte sebou, řekl někdo.

To nesmíte, chtěl jsem říci, ale nedostávalo se mi sil. Ještě mě napadlo, že tohle se už nesmí opakovat. Ach Bože, kdybyste věděli, moji milení, jak vám to jen vysvětlit, jak vás to naučit... pak jsem omdlel.